Les intelligences multiples

Guide pratique

Bruce Campbell

Adaptation française : Gervais Sirois

Traduit de l'américain par
Danièle Bellehumeur

Les intelligences multiples : guide pratique

Traduction de *The Multiple Intelligences Handbook*
(ISBN 0-9642037-0-7)

Coordination : Danièle Bellehumeur
Révision linguistique : Michèle Martin
Correction d'épreuves : Louise Hurtubise
Conception graphique et infographique : Les communications ABEL TYPO inc.
Couverture : Stéphane Gaulin

Données de catalogage avant publication (Canada)

Campbell, Bruce

Les intelligences multiples : guide pratique
Traduction de : *The Multiple Intelligences Handbook*

ISBN 2-89461-257-5

1. Intelligences multiples. 2. Styles cognitifs chez l'enfant. 3. Stratégies d'apprentissage. 4. Enseignement – Méthodes actives. I. Titre.

LB1060.C3514 1999 370.15,2 C99-940420-0

5800, rue Saint-Denis, bureau 900
Montréal (Québec) H2S 3L5 Canada
Téléphone : 514 273-1066
Télécopieur : 514 276-0324 ou 1 800 814-0324
info@cheneliere.ca

ISBN 2-89461-257-5

Dépôt légal : 2e trimestre 1999
Bibliothèque nationale du Québec
Bibliothèque nationale du Canada

Imprimé au Canada
6 7 8 9 10 M 17 16 15 14 13

Nous reconnaissons l'aide financière du gouvernement du Canada par l'entremise du Fonds du livre du Canada (FLC) pour nos activités d'édition.

Table des matières

Introduction

Bravo ! Vous avez entre les mains le guide pratique des intelligences multiples (IM). Pendant des années, j'ai enseigné dans une classe multiâge au primaire en m'inspirant de la théorie des intelligences multiples. Ce guide est le résultat de mes années d'enseignement.

UNE PERCÉE POUR RICHARD

« Monsieur Campbell ! Monsieur Campbell ! Venez vite au centre Ray-Charles, venez entendre ce que Richard nous a montré ! »

« J'arrive dans un moment. »

« Non, non, c'est vraiment formidable ! Vous devez venir tout de suite ! »

J'ai laissé Christina terminer la lecture de son paragraphe, puis je me suis dirigé vers le centre Ray-Charles. Quatre élèves du primaire — deux de cinquième année, un de quatrième et Richard, de troisième — travaillaient ensemble le rythme à deux temps, sur un petit clavier et avec quelques instruments à percussion fabriqués à la main.

À ce moment-là, en classe, nous étions en train d'étudier les cellules, éléments constitutifs de tout être vivant, et la façon dont plusieurs cellules du corps humain se subdivisent simultanément. Pour représenter musicalement ce concept, les élèves qui travaillaient au centre d'apprentissage Ray-Charles mettaient en musique un texte portant sur la mitose.

À mon arrivée, le groupe m'a dit que Richard leur avait montré un rythme à trois temps compliqué. Cette composition vivante et enlevante était vraiment la création des membres du groupe. Bientôt, toute la classe les a entourés (une classe pourtant difficile à distraire, puisque les élèves s'affairaient aux multiples activités qui remplissaient leur quotidien). La pièce musicale a duré environ quatre minutes. La classe était émerveillée. Jamais un groupe n'avait composé de musique aussi complexe, et cela dépassait de loin toutes mes suggestions ou démonstrations. En fait, cette composition allait bien au-delà de mes capacités musicales.

Après un crescendo, la pièce s'est terminée à une cadence tout à fait naturelle. La classe a alors explosé sous un tonnerre d'applaudissements. Tous ont reconnu qu'on venait de créer dans leur propre classe, une bonne musique.

Le plus remarquable dans tout cela, ce fut le rôle de Richard dans cette création collective. Richard éprouvait des difficultés dans presque toutes les matières — on projetait de le transférer dans un programme pour décrocheurs et il portait l'étiquette « éducation spécialisée ». Ce que son rôle de principal compositeur au centre Ray-Charles avait de plus surprenant, c'était que personne, pas même lui, ne connaissait ses talents exceptionnels de musicien. Nous avons été témoins de l'explosion soudaine de ce talent unique, de cette percée musicale.

Richard n'avait reçu aucune formation musicale à la maison ni à l'école avant d'entreprendre ce travail quotidien de groupe, au centre Ray-Charles. Après avoir travaillé la musique durant cinq mois en classe, il s'était découvert un talent naturel. Ses camarades, impressionnés, l'ont félicité. Ces compliments constituaient une nouvelle expérience pour lui, peu habitué au succès.

Les jours suivants, les exploits musicaux de Richard se sont poursuivis. Bientôt, les élèves des autres classes sont venus eux aussi l'entendre jouer. Chose intéressante, Richard s'est mis à changer — il marchait avec fierté et acceptait de prendre plus de risques dans ses études, ce qu'il n'aurait jamais osé faire auparavant.

À la fin de l'année scolaire, Richard avait grandi à bien des égards. Un jour, pendant les vacances d'été, je l'ai rencontré par hasard. Il m'a appris avec exhubérance qu'il avait maintenant son propre clavier et « qu'il faisait de la musique comme un fou ». Ce n'était plus l'élève de troisième réticent et renfermé que j'avais connu dix mois auparavant.

L'histoire de Richard est peut-être saisissante, mais ces réussites ne sont pas rares dans une classe à IM. Lorsque les élèves apprennent à plusieurs niveaux simultanément, sur une base quotidienne, ils en font souvent l'expérience. Parmi ces percées, notons la reconnaissance de leurs forces, l'utilisation de leurs forces pour surmonter leurs faiblesses, la découverte de la passion d'apprendre, et même l'obtention de bons résultats lors d'examens normalisés !

Ce guide s'adresse aux enseignants désireux d'utiliser l'approche des intelligences multipes dans leur classe. C'est le résultat de mes sept années d'enseignement où j'ai fait appel aux intelligences multiples. Ce guide est ma réponse aux enseignants qui m'ont demandé : « Comment débuter ? », « De quelles ressources devons-nous disposer ? », et surtout : « Avez-vous des plans de cours à partager avec nous ? »

Ce guide pratique n'est certes pas un ouvrage exhaustif sur les intelligences multiples ; il s'agit plutôt d'un outil concret qui saura vous être utile et vous appuyer dans vos efforts pour favoriser l'éclosion des forces de chacun de vos élèves. Bonne chance !

Bruce Campbell

Notions de base en intelligences multiples

Avant de partager avec vous mes découvertes en intelligences multiples, je juge important que vous connaissiez la source d'inspiration de tous mes efforts. Howard Gardner, psychologue cognitiviste de l'Université Harvard, publiait, en 1983, son ouvrage *Frames of Mind: The Theory of Multiple Intelligences* (traduit en français sous le titre *Les Formes de l'intelligence*). Son œuvre a permis d'élargir la compréhension traditionnelle de l'intelligence au-delà des domaines linguistique et mathématique et de redéfinir l'intelligence. Selon Gardner, l'intelligence humaine se compose de trois éléments :

- *un ensemble d'habiletés permettant de résoudre les problèmes courants de la vie quotidienne ;*
- *la capacité de créer un produit efficace ou d'offrir un service valorisé par son propre groupe culturel ; et*
- *la capacité de rechercher ou de soulever des problèmes, permettant ainsi à l'individu d'acquérir de nouvelles connaissances.*

Pour arriver à cette vision élargie de l'intelligence, Gardner a étudié les portraits cognitifs d'enfants doués, de gens provenant de tous les groupes culturels, de personnes handicapées sur le plan intellectuel qui manifestaient des talents exceptionnels et de personnes ayant subi des traumatismes crâniens. Il a découvert que l'expression de l'intelligence prenait de multiples formes, linguistique et logico-mathématique, bien sûr, mais aussi kinesthésique, visuo-spatiale, musicale, interpersonnelle et intrapersonnelle. Voici la description de ces sept formes d'intelligence.

L'intelligence linguistique est l'aptitude à penser avec des mots et à employer le langage pour exprimer ou saisir des idées complexes. Elle permet de saisir l'ordre et la signification des mots et de recourir au métalangage pour étudier l'usage de la langue. De toutes les aptitudes humaines, l'intelligence linguistique est la compétence que les gens partagent le plus. Elle est particulièrement observable chez les poètes, les écrivains, les journalistes et les grands orateurs.

L'intelligence logico-mathématique est la capacité de calculer, de quantifier, de vérifier les propositions et les hypothèses, de mener à bien des opérations mathématiques complexes. Elle nous aide à établir des liens et des rapports, à utiliser l'abstraction, la pensée symbolique, le raisonnement séquentiel et les processus de la pensée inductive et déductive. L'intelligence logique est habituellement bien développée chez les mathématiciens, les scientifiques et les détectives.

L'intelligence kinesthésique est la capacité de manipuler des objets et d'avoir recours à diverses aptitudes physiques. Cette intelligence accorde aussi la notion du temps. Elle implique la perfection des talents dans l'union du corps et de l'esprit. Les athlètes, les danseurs, les chirurgiens et les artisans démontrent une intelligence kinesthésique fort développée.

L'intelligence spatiale est l'aptitude à penser en trois dimensions. Les habiletés principales qui s'y rattachent sont l'imagerie mentale, la coordination spatiale, la manipulation de l'image, les talents graphiques et artistiques et une vive imagination. Les marins, les pilotes, les sculpteurs, les peintres et les architectes en sont de bons exemples.

L'intelligence musicale est l'aptitude à reconnaître le ton, le rythme, le timbre et la sonorité. Elle nous permet de reconnaître, de créer, de reproduire et d'exprimer la musique, comme le font les compositeurs, les chefs d'orchestre, les musiciens, les chanteurs et les amateurs de musique. Fait à noter, il existe souvent un rapport affectif entre la musique et les émotions ; de plus, les intelligences mathématique et musicale ont peut-être des modes de pensée similaires.

L'intelligence interpersonnelle est l'aptitude à comprendre les autres et à interagir avec eux. Elle suppose une bonne communication verbale et non-verbale, la capacité de percevoir les différences entre chacun, une sensibilité aux humeurs et aux tempéraments de l'entourage et la capacité de mettre les choses en perspective. Cette intelligence est habituellement très développée chez les enseignants, les travailleurs sociaux, les comédiens et les politiciens.

L'intelligence intrapersonnelle est l'aptitude à se comprendre soi-même — ses pensées, ses émotions — et à se servir de cette connaissance pour planifier et diriger sa propre vie. Elle suppose certainement l'estime de soi, mais aussi un vif intérêt pour la condition humaine, comme le démontrent les psychologues, les maîtres spirituels et les philosophes.

L'œuvre de Gardner a une incidence certaine dans le monde de l'éducation. Si nous acceptons l'idée que le profil cognitif des individus est complexe et diversifié, alors il faudra modifier la pédagogie, le programme d'études et l'évaluation en conséquence pour que les élèves puissent apprendre et démontrer leurs acquis de diverses façons. Les élèves méritent qu'on leur donne la chance de travailler à partir de leurs forces, de renforcer les domaines où ils sont plus faibles et de découvrir les activités qu'ils préfèrent. Les pages qui suivent visent à nourrir les talents que possède chaque enfant.

Organiser une classe à intelligences multiples

Cette première partie répond à la question suivante : Comment entreprendre un programme d'enseignement fondé sur la théorie des intelligences multiples ?

J'y décris d'abord plusieurs classes à IM. Ces exemples vous permettront d'identifier et de découvrir différentes approches pour mettre en œuvre la théorie des intelligences multiples dans votre classe. Dans un deuxième temps, je présente ma propre classe, qui a vu le jour en 1987 et qui, depuis, a été reproduite à des centaines d'exemplaires à travers les États-Unis. Les enseignants m'interrogent souvent sur les sept centres d'apprentissage qu'on y retrouve. C'est pourquoi j'expliquerai ensuite la création de chacun de ces centres, leur nom et comment je groupe les élèves dans les centres de travail. Cette partie prend fin avec une liste de suggestions portant sur les étapes à suivre pour amorcer un programme d'études fondé sur les intelligences multiples et sur les ressources nécessaires. En voici le contenu.

PREMIÈRE PARTIE — CONTENU

Divers modèles de classes à IM

Les modèles de classes à IM varient à l'infini, car ils sont à l'image de chaque enseignante ou enseignant, qui décidera de l'approche qui lui convient le mieux en tenant compte de son style d'enseignement, de l'ordre d'enseignement de sa classe, de la matière étudiée et des élèves eux-mêmes. Un peu plus loin, divers modèles pouvant servir à tous les niveaux du primaire et du secondaire guideront les enseignants dans leur planification d'une classe à IM. Certains de ces modèles privilégient les centres d'apprentissage, d'autres s'orientent plutôt vers les approches d'enseignement magistral traditionnelles. Plusieurs enseignants sont d'avis que les centres d'apprentissage fonctionnent mieux auprès des élèves du primaire, mais certains enseignants du secondaire connaissent aussi un franc succès avec cette formule. Tous ces modèles s'adaptent à l'enseignement d'une seule matière et à l'enseignement interdisciplinaire ou thématique. Après la lecture de ce chapitre, vous serez en mesure de déterminer le modèle qui convient le mieux à votre classe ou de vous inspirer des modèles décrits pour créer le vôtre.

Sept centres d'apprentissage au quotidien

Ce modèle comprend sept centres d'apprentissage dédiés à chacune des formes d'intelligence telles que Gardner les propose. Le programme d'études est à la fois thématique et interdisciplinaire — les élèves se déplacent d'un centre à l'autre et étudient un même sujet en l'abordant sous sept angles différents. Ce modèle a l'avantage de favoriser le travail en petit groupe.

De trois à cinq centres d'apprentissage par jour

Ce modèle est similaire au premier, à une exception près : on élimine les deux centres réservés à l'intelligence personnelle pour les incorporer aux activités des autres centres. Une autre variante consiste à faire la rotation des centres sur une base quotidienne ou hebdomadaire, par exemple, passer du centre de la musique à celui du mouvement. Ce modèle offre une plus grande souplesse d'enseignement et une plus grande diversité de choix aux élèves.

Des centres d'apprentissage une fois par semaine

Ce modèle propose d'installer de cinq à sept centres, mais pour seulement un ou deux jours par semaine, pendant lesquels on étudie un sujet précis. Les autres jours, l'enseignement se fait sous forme traditionnelle. Ce modèle exige de consacrer plus de temps pour l'installation et le rangement des centres, mais c'est aussi une excellente façon de faire l'expérience de l'approche des IM.

Des déplacements en grand groupe dans diverses classes

Voici un modèle simple et très intéressant qui repose sur une équipe d'enseignants. Les enseignants restent dans leur classe, tandis que les élèves se déplacent en grand groupe d'une classe à l'autre, toutes les 40 ou 60 minutes. Le programme d'études est interdisciplinaire ; les élèves approfondissent un même sujet avec deux enseignants ou plus. Les enseignants agissent à titre d'experts en l'une des intelligences. Ils planifient en équipe leurs unités, chacun apportant sa contribution personnelle dans son domaine de compétence. Ce qui distingue ce modèle des écoles secondaires traditionnelles, c'est que les élèves se déplacent ensemble d'une classe à l'autre, en un seul grand groupe.

L'enseignement en grand groupe avec diverses approches

Voici un modèle privilégiant l'enseignement magistral dans l'environnement d'une classe traditionnelle ; toutefois, les activités d'apprentissage font régulièrement appel aux techniques musicales, kinesthésiques, visuelles, interpersonnelles et intrapersonnelles. Il s'agit probablement de la méthode la plus simple pour aider les enseignants à amorcer un virage vers l'approche des IM.

La mise en évidence d'une intelligence particulière

Ce modèle est une variante de l'enseignement en grand groupe — chaque jour, l'enseignante ou l'enseignant met en évidence l'une des sept formes d'intelligence. Par exemple, le lundi on demande aux élèves de travailler ensemble sur diverses stratégies d'apprentissage coopératif qui font appel à l'intelligence interpersonnelle. Le mardi, ils peuvent illustrer ou dessiner le contenu de leurs leçons pour apprendre visuellement. Après sept jours de classe consécutifs, chaque élève aura eu l'occasion d'apprendre par le biais des sept formes d'intelligence. Certains enseignants ajoutent une huitième journée à ce cycle, afin de permettre aux élèves d'opter, ce jour-là, pour la forme d'apprentissage de leur choix.

L'apprentissage autodirigée — les élèves choisissent selon leurs forces personnelles

Dans ce modèle, les élèves sont invités à poursuivre les projets de leur choix. Ils planifient eux-mêmes leurs activités d'apprentissage et utilisent souvent le formulaire intitulé « Contrat d'apprentissage de l'élève » dont on peut voir un exemple dans la section sur les projets indépendants. Ils fixent leurs objectifs, établissent leurs échéanciers, poursuivent leurs recherches personnelles et décident du mode de présentation de leur savoir. L'enseignante ou l'enseignant agit comme guide et personne-ressource. On peut employer cette approche à l'occasion — par exemple deux fois par trimestre au secondaire —, ou encore l'incorporer à l'horaire régulier des activités quotidiennes d'une classe au primaire.

Programmes d'apprentissage

Il existe plusieurs formes d'apprentissage visant à aider les élèves à développer et à exploiter à fond leurs talents. L'enseignante ou l'enseignant peut inviter des parents ou des bénévoles de la communauté à venir partager leurs compétences avec de petits groupes d'élèves. Par exemple, chaque jeudi trois membres de la communauté (ce peut être une journaliste, un pianiste et une comédienne) pourraient travailler avec les élèves que ces métiers intéressent. Dans certaines écoles, on offre à tous les élèves la possibilité de participer une fois par semaine au programme d'apprentissage de leur choix. Il est important que la classe ou l'école qui met sur pied un tel programme puisse l'échelonner sur plusieurs mois. Ainsi, les élèves auront la chance d'approfondir véritablement leurs connaissances et leurs talents dans une forme précise d'intelligence.

Structure du quotidien dans une classe à IM

Depuis 1987, j'ai créé un modèle de classe à IM comportant sept centres d'apprentissage et un programme d'études thématique intégré. Chaque centre est dédié à l'une des sept formes d'intelligence. Pendant la période du matin, les élèves étudient le sujet du jour en explorant les sept centres. En après-midi, ils travaillent à des projets de leur choix où ils exercent leurs multiples talents d'apprentissage dans des activités basées sur leurs intérêts personnels. Ce modèle me convient bien, mais ce n'est certainement pas la seule approche en IM qui soit efficace. Je le répète, il est essentiel que chaque enseignante ou enseignant découvre une façon personnelle de travailler avec la théorie de Gardner. Pour vous montrer à quoi peut ressembler un horaire quotidien dans un programme d'enseignement pour IM, voici une description de ma gestion de classe.

Début

Après avoir pris les présences et fait les annonces de la journée, j'entame une courte discussion avec les élèves. Cet « exercice de réchauffement » porte habituellement sur une nouvelle, un problème concernant l'école ou un élève, ou encore se traduit par un débat sur un problème social controversé. Les élèves sont invités à se former des opinions, à contester les points de vue des autres et à étoffer leurs affirmations. L'échange est bref et vivant.

Cours principal

Après cet exercice de réchauffement, je donne ce que j'appelle mon « cours principal ». Tous les jours, les élèves doivent prendre des notes dans leur journal pendant cette période. Le cours, d'une durée de 10 à 15 minutes, consiste à réviser un aspect du sujet à l'étude. Par exemple, dans une unité portant sur le monde de l'espace, la leçon du matin peut porter sur les comètes et ce qui cause leur orbite allongée. J'ai habituellement recours à des activités visuelles et quelquefois manuelles. Parfois, l'enseignement est donné par un élève qui s'est porté volontaire, le père ou la mère d'un élève ayant des compétences en la matière ou un membre de la communauté que le sujet intéresse. Le cours principal crée un environnement propice aux activités qui suivront dans les sept centres d'apprentissage.

Directives

Je donne ensuite des directives concernant les activités qui se tiendront dans les sept centres d'apprentissage. Comme certaines activités sont la continuité de celles de la veille, trois ou quatre directives suffisent.

Centres d'apprentissage

Pendant les deux heures suivantes, les élèves, en petits groupes, vont d'un centre d'apprentissage à l'autre. Chaque groupe s'arrête à un centre entre 25 et 30 minutes, avant de passer au centre suivant. Les centres d'apprentissage permettent l'apprentissage du cours principal par le biais des sept formes d'intelligence différentes. Par exemple, dans le centre musical, les élèves apprennent par le chant et la composition. Il faut deux jours pour que toute la classe ait fait le tour des sept centres. Habituellement, la classe visite quatre centres le premier jour et trois le deuxième jour.

Les centres permettent un apprentissage à la fois individuel et coopératif. Lorsque des livres s'harmonisent au contenu du cours, je les intègre aux activités des centres. Cette formule des sept centres offre aux élèves l'occasion non seulement d'en étudier le contenu, mais aussi de développer leurs aptitudes intellectuelles et leurs multiples talents.

Certains enseignants voient dans les sept centres une montagne de planification. Deux éléments viennent toutefois minimiser cette tâche. D'abord, les centres se renouvellent seulement deux fois par semaine, soit le lundi et le mercredi, puisque la classe met deux jours à faire la rotation des sept centres. Ensuite, plusieurs activités se poursuivent pendant plusieurs jours, et même pendant plusieurs semaines. Enfin, le vendredi est consacré au « centre de mon choix », que l'élève planifie souvent lui-même et qui lui permet de finir les travaux inachevés de la semaine.

Partage

Lorsque le travail dans les centres est terminé, les élèves se réunissent en grand groupe en vue de partager leur nouveau savoir et de recevoir les commentaires de leurs pairs. La présentation de leur chanson, de leur pièce, de leur texte ou de leur œuvre d'art à la classe se fait sur une base volontaire. Les élèves expriment leur appréciation ou se font mutuellement des critiques constructives. Le partage demande habituellement entre cinq et vingt minutes et se fait à la fin de la première demi-journée de classe.

Mathématique

L'après-midi débute par un cours de mathématique que je donne à toute la classe. Je combine diverses méthodes comme le matériel de manipulation pour l'enseignement des concepts mathématiques, ainsi que des tests et des exercices pratiques. En général, le cours de mathématique dure environ 45 minutes, auquel s'ajoutent les activités du centre de mathématique qui auront lieu les jours suivants.

Projets

Ensuite, les élèves travaillent à leur projet individuel durant une heure environ. Ils choisissent eux-mêmes leur sujet d'étude et y travaillent seuls ou deux par deux. La planification du projet s'accompagne d'un contrat précisant la tâche de chaque élève et son échéancier. Chacun a le mandat de devenir « jeune expert » et d'enseigner aux autres ses acquis. Les élèves précisent leur sujet, font la recherche et préparent une présentation multimodale pour la classe. Chaque projet requiert une préparation de trois ou quatre semaines. La présentation devant la classe révèle les talents que l'élève a su acquérir en parcourant les sept centres, de même que les connaissances acquises grâce à ses travaux de recherche. L'élève démontre également son habileté à découvrir ses intérêts, à fixer ses objectifs et à les atteindre d'une façon toute personnelle.

Révision

En fin de journée, je fais une courte révision de notre cours principal, des sept centres et des efforts déployés dans les projets. Il m'arrive aussi d'assigner alors un devoir à faire à la maison et de présenter le sujet du lendemain. Par exemple, je peux dire : « Aujourd'hui, nous avons étudié les comètes et leur étrange orbite autour du Soleil. Quels sont les autres objets qui tournent autour du Soleil ?... Demain, nous explorerons les astéroïdes. » Cet aperçu permet de faire le lien entre la leçon d'aujourd'hui et celle du lendemain, et entre l'unité et le thème.

Centres d'apprentissage pour IM

Lorsque j'ai commencé à enseigner en utilisant les sept centres d'apprentissage, j'ai nommé ceux-ci selon leur fonction respective. Ainsi, le centre de l'intelligence kinesthésique s'appelait le centre du Mouvement, le centre visuel était le centre d'Art, et ainsi de suite. Au début de la seconde année, un enseignant stagiaire m'a suggéré de donner à chaque centre le nom d'un personnage rendu célèbre parce qu'il manifestait l'une des sept formes d'intelligence. Ensemble, nous avons fait une liste de personnes exemplaires. Depuis, je nomme chaque année les centres de noms de grandes célébrités; plusieurs écoles au pays ont suivi cette initiative.

Mettre en évidence des experts dans chacune des formes de l'intelligence ouvre la porte à toute une variété de sujets d'étude. Au cours de la première semaine, mes élèves étudient les intelligences multiples et les sept personnes célèbres qui y sont associées. Lorsqu'ils ont étudié ces gens, compris comment ils avaient développé leurs talents et vu leurs contributions à la société, les élèves commencent à comprendre que leurs talents aussi se développeront avec le temps et qu'à leur tour ils pourront peut-être apporter une contribution exceptionnelle à notre monde. J'ai également observé que les élèves commencent à s'identifier à certains personnages. C'est comme si les sept génies devenaient leurs mentors malgré leur absence physique. Et lorsqu'un élève fait preuve d'un talent exceptionnel, les autres le surnomment le petit Picasso ou la petite Emily Dickinson.

Chaque année, je modifie le nom des centres. Par exemple, le centre kinesthésique a porté les noms Thomas-Edison et Martha-Graham. Au centre Thomas-Edison, j'ai intégré une foule d'activités de construction et d'invention. Le centre Martha-Graham mettait l'accent sur la danse et le mouvement créatif. De fait, le nom des centres influence ma planification du programme d'études tout au long de l'année. Mes centres sont habituellement dédiés aux personnes suivantes :

centre William-Shakespeare	**intelligence linguistique**[1]
centre Albert-Einstein	**intelligence logico-mathématique**
centre Martha-Graham	**intelligence kinesthésique**
centre Pablo-Picasso	**intelligence visuo-spatiale**
centre Ray-Charles	**intelligence musicale**
centre Mère-Theresa	**intelligence interpersonnelle**
centre Emily-Dickinson	**intelligence intrapersonnelle**

1 Chacun de ces choix est expliqué à la page 34. Vous pouvez les adapter à votre contexte culturel en choisissant d'autres personnes célèbres pour chacun des centres d'apprentissage.

De nombreux enseignants ont tenté des expériences en nommant les centres. Il y en a un qui a choisi de les nommer en s'inspirant des enseignants de l'école, un autre a préféré leur donner le nom de sept femmes célèbres, un troisième a puisé dans les personnages de romans et un dernier a sélectionné sept membres de la communauté qui sont ensuite devenus les mentors de la classe, visitant régulièrement l'école et partageant leur savoir avec les élèves. D'autres enseignants préfèrent modifier le nom des centres au cours de l'année, ou encore à chaque trimestre.

Groupement des élèves dans les centres d'apprentissage pour IM ou d'apprentissage coopératif

On me demande souvent comment je groupe mes élèves lorsqu'ils travaillent ensemble dans les centres d'apprentissage. Voici ma démarche lorsque je planifie la formation des groupes de travail. Ces directives peuvent être utiles pour créer des centres d'apprentissage dans la classe, de même que pour procéder par l'apprentissage coopératif dans une classe n'ayant pas de centre. Comme je suis l'enseignant, la responsabilité de créer ces groupes de travail me revient. Toutefois, vers la fin de l'année, lorsque les élèves auront développé leurs aptitudes à socialiser, ils seront en mesure de choisir eux-mêmes les membres de leur groupe. Quand je travaille avec sept groupes, je divise le nombre de mes élèves par sept pour déterminer le nombre d'élèves par groupe. En général, chaque groupe compte trois, quatre ou cinq élèves et répond aux critères suivants.

1. **Groupement d'habiletés diverses.** Je choisis de grouper des élèves ayant peu d'habiletés linguistiques avec d'autres qui en sont bien pourvus. Je tente aussi d'y ajouter d'autres genres d'aptitudes. Par exemple, j'essaie d'avoir dans chaque groupe au moins un élève ayant de grands talents artistiques ou musicaux.

2. **Groupes filles et garçons.** Je tente d'avoir au moins un garçon et une fille dans chaque groupe. J'ai remarqué au cours des années que les petits groupes mixtes, par comparaison avec les groupes unisexes, se concentrent mieux sur la tâche à accomplir, sont plus productifs et présentent moins de problèmes sociaux.

3. **Émergence des rôles en groupe.** Souvent, les experts de l'apprentissage coopératif suggèrent d'assigner des rôles précis aux membres du groupe. À mon avis, cette approche est parfois inefficace. Prenons l'exemple de Richard, cité en introduction. Il n'aurait peut-être jamais eu la chance de faire l'expérience de ses talents musicaux si on lui avait assigné le rôle de copiste dans ses groupes d'apprentissage coopératif. Le seul moment où je préconise l'assignation de rôles, c'est dans le centre Mère-Teresa où les élèves s'exercent volontairement à développer leurs habiletés sociales.

4. **Cadre mensuel.** Les enseignants favorisent souvent une durée variable pour les groupes de travail. Mais selon mon expérience, la formule qui réussit le mieux est la création de nouveaux groupes au début de chaque mois. Pendant ce mois, les élèves ont le temps de se connaître et d'apprendre à travailler ensemble, mais ils n'ont pas le temps de se sentir piégés dans un groupe donné. En travaillant ensemble seulement quatre semaines à la fois, les élèves ont la chance de connaître chaque élève de la classe et de mettre en pratique leurs habiletés à coopérer avec des gens fort différents.

5. **Maintien des groupes lors de la rotation entre les centres.** Lors de la rotation entre les divers centres d'apprentissage, les groupes assignés demeurent ensemble. Cette pratique diminue les problèmes de comportement. J'assouplis ce règlement petit à petit pendant l'année scolaire : ainsi, certains élèves devanceront légèrement leur groupe, tandis que d'autres resteront un peu derrière afin de terminer un travail, au besoin.

Lancement d'un programme fondé sur les intelligences multiples

On me demande souvent : « Comment puis-je démarrer ? J'aime la théorie des intelligences multiples, mais je ne sais pas par où commencer. » En premier lieu, il est important de déterminer les secteurs d'enseignement où vous intégrez déjà certaines formes d'intelligence dans le processus d'apprentissage de vos élèves. Il est également important de découvrir les formes d'intelligence que vous vous contentez de survoler, ou même que vous évitez ! Ensuite, vous devez admettre que l'approche des intelligences multiples est plus efficace que vos méthodes d'enseignement. Elle modifie votre perception des élèves, votre planification des programmes et votre façon d'évaluer le travail des élèves. Plus encore, elle influe sur la perception que vous avez de vous-même comme enseignante ou enseignant. Voici quelques suggestions pour commencer le programme.

1. Créer l'environnement

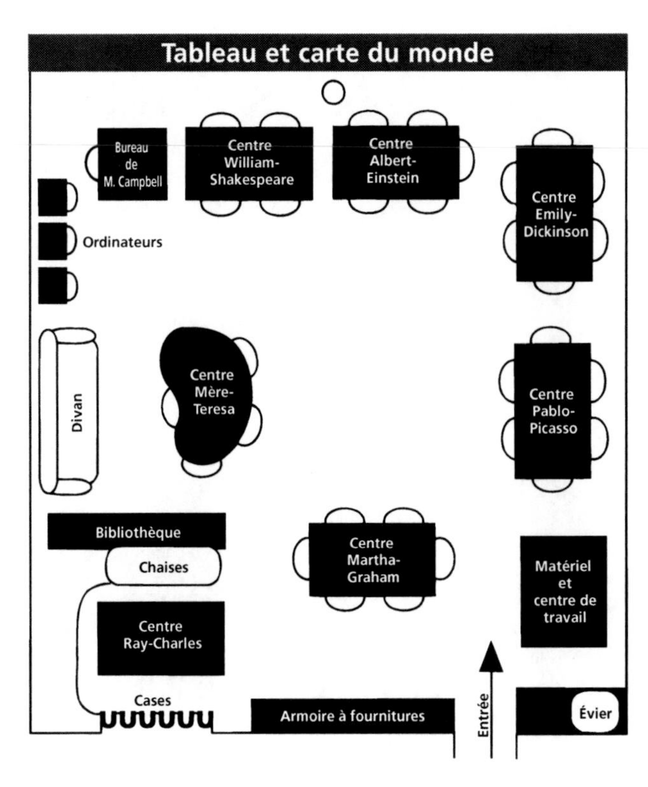

Lors de la mise sur pied d'une classe à IM, une des premières étapes consiste à modifier l'environnement physique pour favoriser les sept modes d'apprentissage. Certains enseignants remplacent les pupitres par des tables pour gagner de l'espace. D'autres conservent le même mobilier, mais l'installent autrement, dans l'intention de créer des espaces pour l'apprentissage individuel, en petit groupe et en grand groupe. Au secondaire, des enseignants planifient en équipe le programme d'études afin d'utiliser au besoin les autres classes et de profiter ainsi de la scène d'un théâtre ou encore d'un laboratoire scientifique.

Pour entreprendre mon programme, j'ai demandé au concierge de l'école de remplacer tous les bureaux de ma classe par sept tables. Il a placé dans ma classe sept tables disparates qui avaient connu des jours meilleurs, mais le simple fait d'avoir mes élèves assis à des tables a immédiatement modifié mon rôle d'enseignant. Je ne faisais plus face aux élèves et j'avais beaucoup plus d'espace que lorsque 30 bureaux remplissaient les lieux. Voici une illustration de l'organisation spatiale de ma classe.

Après avoir modifié l'environnement, il importe de rassembler le matériel que requiert une classe à IM. Au démarrage, chaque centre d'apprentissage doit avoir un certain matériel de base dont nous faisons la liste dans la prochaine section. Les enseignants doivent aussi prévoir un endroit pour entreposer le matériel supplémentaire.

2. Identifier les unités d'études

Dans certaines écoles, le programme d'études du ministère de l'Éducation repose souvent sur des manuels scolaires, mais ce sont parfois les enseignants et les élèves eux-mêmes qui l'établissent. Certains enseignants privilégient l'enseignement thématique, tandis que d'autres préfèrent mettre l'accent sur chacune des disciplines. Quelle que soit l'approche pédagogique préconisée, il est important de mettre en évidence au moins une unité majeure. Dans ma classe, j'aime créer un programme thématique. Je détermine d'abord le thème général d'une unité. Ensuite, j'établis les principaux concepts et les aptitudes que je désire enseigner, puis je crée des méthodes d'apprentissage et d'évaluation individuelles. Par exemple, j'ai enseigné pendant un trimestre sous le thème « Le mouvement dans l'espace et sur la terre ». Cette unité thématique explore la structure de la matière et le mécanisme des objets, de la force et du mouvement. Une leçon s'intitulait « Qu'est-ce qu'un astéroïde et comment se déplace-t-il ? » En précisant le programme d'études, les concepts et les leçons, je peux commencer à planifier l'intégration des sept intelligences dans l'apprentissage de l'élève.

3. Définir les résultats escomptés

Après avoir précisé le contenu de mon enseignement et les connaissances que les élèves en retireront, je dois déterminer les résultats que j'attends de mes élèves. Je dois être précis sur les connaissances et les aptitudes qu'ils auront acquises après l'étude de cette unité. L'un des défis inhérent à l'apprentissage par IM est de trouver sept façons différentes d'enseigner le même contenu. Pendant ma première année d'enseignement en IM, j'ai consacré tous mes efforts à créer des activités d'apprentissage faisant appel à chaque forme d'intelligence. Certaines n'étaient rien de plus que des activités et elles n'offraient pas aux élèves une véritable expérience d'apprentissage. J'ai vite compris que je devais déterminer les connaissances et les aptitudes que les élèves devaient acquérir en priorité. En connaissant le résultat désiré, il m'était plus facile de trouver les méthodes d'enseignement les mieux appropriées. Parmi les résultats que je me suis fixés, notons la rédaction d'un rapport de recherche, la confection d'un collage, la conduite d'une entrevue, la composition d'un rythme à trois temps et l'illustration d'un graphique à partir des coordonnées x et y.

4. Planifier les stratégies pédagogiques fondées sur les IM

Les techniques d'enseignement pour IM permettent de transmettre la matière voulue tout en favorisant la pratique d'habiletés d'apprentissage essentielles à l'élève. À titre d'exemple, l'élève peut apprendre une technique d'organisation visuelle de l'information en classant des plantes et des animaux dans leur écosystème respectif. On met quelque temps, au début, à trouver sept façons d'enseigner une même matière ; aussi, vous pourrez vous inspirer des listes de stratégies pédagogiques pour IM proposées dans la troisième partie de cet ouvrage. Ces listes peuvent être utilisées pour la planification multimodale. Pour ma part, j'ai découvert qu'après seulement quelques mois la planification de mes cours en sept modes différents se faisait naturellement. Il en sera de même pour vous !

5. Utiliser divers outils d'évaluation

Tout comme un contenu peut être transmis de sept manières différentes, il peut être évalué de sept façons différentes. Dans ma classe, les outils d'évaluation varient énormément et incluent le portfolio, les travaux artistiques, les compositions de chansons et les vidéos produits dans le cadre de projets d'études. Les élèves devraient prendre part aux décisions entourant l'évaluation. Avant l'évaluation de ses travaux et de concert avec l'enseignante ou l'enseignant, l'élève devrait établir les critères d'évaluation et de notation qui seront utilisés. Lorsqu'il connaît cette information à l'avance, il peut intervenir et faire en sorte que ses travaux correspondent bien aux critères choisis.

6. Planifier le développement des forces de chaque élève

Observez vos élèves lorsqu'ils prennent part à des activités. Prenez note de ce qui les amuse, de ce avec quoi ils doivent se débattre et même de ce qu'ils évitent. Pour chaque élève, essayez de trouver une activité charnière faisant appel à la fois à ses forces et à ses faiblesses. Par exemple, un de mes élèves aimait beaucoup la mécanique, mais il se croyait nul en écriture. Je lui ai demandé de créer un glossaire des pièces d'un moteur. Il a poussé l'exercice jusqu'à rédiger un texte explicatif sur le remplacement de l'huile dans une voiture.

Trouvez des moyens de renforcer les talents naturels de vos élèves. Vous pouvez le faire tout simplement en suggérant des projets individuels, en encourageant certains à participer à des activités particulières comme les clubs de l'école, ou encore en invitant des experts à venir en classe partager leur savoir avec un petit groupe d'élèves en apprentissage.

7. Partager vos idées

Lorsque vous vous apprêtez à fonctionner sur le principe des IM dans votre classe, partagez vos intentions, vos efforts et vos interrogations avec vos collègues, l'administration et les parents et, plus important encore, avec les élèves. Allez chercher leurs réactions, elles vous aideront à raffiner votre approche.

Ressources pour une classe à IM

Il existe du matériel de base qui peut s'avérer fort utile dans une classe à IM. La plupart des écoles possèdent déjà une grande partie de ce matériel. Il suffit de le rendre accessible aux élèves en tout temps. Les enseignants peuvent partager et faire circuler ce matériel et on peut demander aux élèves d'en apporter de la maison.

Voici maintenant la liste du matériel suggéré pour commencer les sept centres d'apprentissage. Il n'est pas nécessaire d'avoir tout ce matériel dans la classe en tout temps, mais il est essentiel d'offrir aux élèves un choix varié de matériel et de créer des occasions de l'utiliser.

J'ai présenté la liste du matériel de chaque centre sous forme de tableaux. Pour chacun des centres, la liste du matériel suggéré se trouve dans la colonne de gauche. La colonne du centre permet d'indiquer, par un crochet, les articles que l'enseignante ou l'enseignant a déjà en main; dans la colonne de droite, on peut noter par une étoile les articles manquants qu'on désire se procurer. En quelques années, j'ai réuni presque tout le matériel utilisé dans ma classe à IM grâce à des subventions gouvernementales annuelles.

Matériel — Centre linguistique

Matériel de base	en main	à acquérir
LECTURE		
ouvrages d'intérêt général		
journaux		
ouvrages de référence		
encyclopédies		
dictionnaires		
thésaurus		
diverses revues		
livres faits par des élèves		
ouvrages choisis par les élèves		
babillards — bulletin et affichage		
mobiles présentant des mots		
phrases sur bande de papier		
diagrammes de poche		
matériel bilingue		
ÉCRITURE		
papier, crayons, stylos		
pochoir du type trace-lettres		
carnets		
ordinateurs — traitement de texte		
logiciel d'éditique		
imprimantes		
matériel pour fabriquer des livres		
machines à écrire		

Matériel — Centre logico-mathématique

Matériel de base	en main	à acquérir
MATÉRIEL DE MANIPULATION		
objets servant à compter		
cubes pour créer des formes		
cubes à compter		
tangrams		
casse-tête		
jeux de stratégies		
cubes		
réglettes «cuisenaires»		
dés		
collections pour faire du tri		
jeux de construction		
OUTILS DE MESURE		
règles		
rapporteurs		
rubans à mesurer		
balances		
tasses à mesurer		

Matériel — Centre kinesthésique

Matériel de base	en main	à acquérir
ACCESSOIRES DE THÉÂTRE ET DE MOUVEMENT		
serpentins		
chapeaux, foulards, capes		
costumes		
accessoires divers: valises, parapluies, etc.		
MATÉRIEL PRATIQUE		
jeux de construction		
cubes empilables		
minibriques Lego		
marionnettes		
outils		
matériel de construction		
tissus et matériel de couture		
casse-tête		
jeux de société		
matériel d'artisanat		

Matériel — Centre visuo-spatial

Matériel de base	en main	à acquérir
MATÉRIEL D'ARTISTE		
peinture		
glaise		
marqueurs, crayons		
matériel pour collages		
pastels, crayons à colorier		
pochoirs		
tampons		
matériel à dessin		
ÉLÉMENTS VISUELS		
grilles		
affiches		
diagrammes		
graphiques		
casse-tête		
reproductions artistiques		
cartes de couleurs vives		
ordinateurs		
logiciels d'arts visuels		
disques laser		
cassettes vidéo		
matériel vidéo		

Matériel — Centre musical

Matériel de base	en main	à acquérir
ÉCOUTE		
disques, cassettes, disques laser		
écouteurs		
équipement d'enregistrement		
magnétophones		
logiciels de musique		
INSTRUMENTS		
claviers		
instruments à percussion		
tambourins		
tambours		
instruments faits à la main		
percussions «douces»: hochets, sacs de fèves,		
morceaux de polystyrène, etc.		
instruments à cordes		

Matériel — Centre interpersonnel

Matériel de base	en main	à acquérir
tables au lieu de pupitres ou tout autre arrangement des lieux favorisant le travail en petit groupe		
jeux d'équipe et casse-tête		
problèmes favorisant le travail coopératif tels que le matériel d'apprentissage que l'on peut diviser de façon qu'un groupe puisse enseigner à un autre groupe ce qu'il sait		
jeux de société		
logiciels destinés au travail coopératif		
autobiographies et biographies		
résolution de conflits du personnel		
possibilités de tutorat		
projets de groupe		

Matériel — Centre intrapersonnel

Matériel de base	en main	à acquérir
lieu calme destiné au travail individuel		
journaux personnels		
histoires, livres, articles de journaux portant sur le développement et l'identité personnels		
projets individuels		
collections personnelles ou divers objets		
babillard ou autre moyen de souligner les forces et les contributions individuelles		

Initier les élèves et les parents aux intelligences multiples

Comme la majorité des élèves et des parents ne connaissent pas la théorie des intelligences multiples, il vous faudra les initier aux diverses formes d'intelligence.

Cette deuxième partie débute par un conte, sorte de parabole des intelligences multiples. Je le raconte pour présenter les travaux de Gardner aux enseignants qui participent à mes ateliers. L'histoire me sert aussi à démontrer à mes élèves qu'un problème peut être résolu de bien des façons. Cette histoire est suivie de textes rédigés par des élèves de la quatrième année du primaire à la cinquième année du secondaire pour décrire la théorie de Gardner.

J'ai ensuite ajouté le modèle d'une lettre adressée aux parents en début d'année scolaire visant à leur expliquer le programme des IM. Cette seconde partie comprend en outre un questionnaire destiné à l'élève, qui lui demande de préciser son mode d'apprentissage préféré ; et, pour finir, on y trouve le tout premier plan d'un cours fondé sur les IM et dont l'objectif est d'enseigner les IM aux élèves, en faisant appel aux sept formes d'intelligence dans l'apprentissage.

DEUXIÈME PARTIE — CONTENU

Le Prince — Conte illustrant les intelligences multiples

Voici une légende qu'on peut raconter, lire ou distribuer aux élèves et qui permet de les initier à la théorie des intelligences multiples. Il s'agit de l'histoire d'un prince parti à la recherche d'une pierre précieuse et qui rencontrera de multiples embûches sur sa route. Pour vaincre tous ces obstacles, il devra recourir aux sept formes d'intelligence.

Avant de raconter cette histoire, assurez-vous d'avoir sous la main certains objets, dont :

un petit sac rempli de pièces de monnaie (tenant lieu de pièces d'or)

une petite galette d'argile

un caillou

une petite balance

trois balles à jongler *(si vous ne savez pas jongler, vous pouvez faire un simple tour de magie avec les mains pour illustrer le problème kinesthésique)*

une boussole de poche

un petit miroir

un magnétophone ou une petite flûte

un sac de friandises (calculez une friandise par élève)

un grand sac réunissant tous ces objets

Aux enseignants qui choisiront de distribuer ce conte aux élèves, il serait préférable de cacher les indications en italique avant de le photocopier.

Le prince

Il était une fois un prince habitant une région très lointaine. Enfant, le prince apprit non seulement à aller à cheval, à chasser et à faire de l'escrime, mais il s'initia aussi à l'écriture, aux nombres et à la musique.

Un jour, un vieux sage vint au palais et demanda une audience avec le roi et la reine. Le sage leur raconta que, bien des années auparavant, on avait dérobé une pierre précieuse au palais. Il ajouta qu'ils devaient envoyer leur fils, le prince, récupérer cette pierre précieuse. La tâche ne serait pas facile, puisque la pierre se trouvait maintenant dans un pays éloigné, gardée par une terrible bête ayant le corps d'un lion, les griffes d'un vautour et la tête d'un dragon crachant le feu.

Le roi et la reine hésitèrent à envoyer leur fils unique affronter un tel danger, mais le sage insista et ils finirent par acquiescer. Le prince se préparait à partir lorsqu'il reçut un présent de chacun de ses parents. Son père lui remit un sac rempli de pièces d'or en lui conseillant de les utiliser avec sagesse. *(Montrez ici le sac rempli de pièces de monnaie.)* Sa mère, quant à elle, lui donna un plus grand sac dans lequel elle avait mis sept présents. « Mon fils, dit la reine, chaque présent ne doit être utilisé que lorsque tu en auras grand besoin. » *(Montrez le grand sac contenant tous les objets, sauf le sac rempli de pièces de monnaie et le caillou.)*

Le prince se mit en route et voyagea pendant des jours et des nuits. Un soir, comme il traversait une montagne, il fut capturé par une bande de voleurs. Ceux-ci le conduisirent à leur chef, qui vivait au fond d'une caverne, en lui disant qu'il devra lui expliquer qui il était et pourquoi il traversait ainsi leur territoire. On lui dit aussi que, s'il parvenait à expliquer clairement sa mission au chef, il pourrait poursuivre son chemin. Mais s'il échouait, jamais il ne reverrait le lever du soleil.

Une fois devant le chef, le prince commença à raconter son histoire. Mais les voleurs se mirent à rire aux éclats et le jeune homme comprit alors que le chef était sourd et qu'il ne pouvait rien entendre de ce qu'il disait. Que faire ? se demanda le prince. Pour la première fois, il mit la main dans le grand sac que sa mère lui avait offert. *(Mettez la main dans le grand sac.)* Il en sortit une petite galette d'argile. En vitesse, il y grava ces mots : « Prince, à la recherche d'une pierre précieuse volée. » Impressionné par tant d'ingéniosité, le chef permit au jeune homme de poursuivre sa route.

Le prince reprit son chemin. Quelques jours plus tard, il se retrouva devant une grande mer et comprit qu'il devait la traverser. Il n'y avait qu'un seul navire au port et son capitaine, homme rude et désagréable, refusait catégoriquement de prendre un passager à bord. Mais le prince insista. Le capitaine alors se pencha et il ramassa un caillou qui se trouvait dans le sable. *(Préparez-vous à montrer le caillou.)* Il dit au prince : « Si vous pouvez me donner, en or, exactement l'équivalent du poids de cette roche, je vous ferai traverser la mer. Si vous échouez, vous devrez prendre le prochain bateau — ce qui peut vouloir dire une attente de plusieurs mois. »

Pour la deuxième fois, le prince plongea la main dans le sac aux sept présents. Cette fois, il en retira une petite balance. Il mit le caillou sur l'un des deux plateaux et, sur l'autre, il déposa une à une les pièces d'or que son père lui avait données. *(Équilibrez la balance en déposant le caillou sur un plateau et des sous sur l'autre plateau.)* La balance s'équilibra. À son tour, le capitaine, tout comme les voleurs auparavant, fut fort impressionné par l'intelligence du prince et lui accorda le passage.

Après une longue traversée sur la mer, le prince atteignit un autre royaume où il fut chaleureusement accueilli parce les gens dans ce pays n'avaient que très peu de visiteurs. Ils demandèrent au prince une faveur. Avant de poursuivre sa route, aurait-il la gentillesse de rendre visite à leur roi, attristé par un revers de fortune ? Les habitants du royaume espéraient que le prince saurait plaire au roi en lui racontant les aventures qu'il avait vécues au cours de son voyage. Arrivé devant le roi, le prince comprit tout de suite son grand désespoir et le défi qu'on lui proposait. Alors, pour la troisième fois, il plongea la main dans son grand sac et en retira trois balles. *(Prenez les trois balles dans le sac et commencez à jongler.)* Le prince se mit à jongler, et le roi, qui n'avait encore jamais vu pareil talent, fut ravi. À son tour, il donna au prince sa bénédiction et l'invita à reprendre son chemin.

Le prince voyagea encore pendant des jours et des jours. On lui raconta toutes sortes d'histoires au sujet d'une grande forteresse remplie de riches trésors. Une légende disait qu'une certaine pierre précieuse, magnifique, s'y trouvait. Le prince eut le sentiment que ce devait être la pierre qu'on avait volée à son peuple. Continuant sa quête, il commença aussi à entendre parler d'une bête terrible vivant dans cette forteresse et des nombreux explorateurs qui s'y étaient aventurés et qu'on n'avait jamais revus.

Un jour, enfin, le prince se trouva au pied de la grande forteresse. Les murs semblaient s'étendre à l'infini ; à droite comme à gauche, ses yeux ne pouvaient en voir la fin. Le prince avait beau regarder, il n'arrivait pas à trouver l'entrée. En cherchant un moyen de pénétrer dans la forteresse, le prince vit sur le chemin une vieille dame qui avait bien du mal à transporter une charge de bois. Le prince se précipita vers elle pour l'aider. Il porta son bois jusqu'à sa demeure et lui fit un bon feu de foyer.

Pour le remercier, la vieille dame non seulement lui indiqua l'entrée de la forteresse, mais elle lui expliqua qu'une fois parvenu entre ses murs il y trouverait un labyrinthe. « Attention, dit-elle, plusieurs y sont entrés sans jamais pouvoir en ressortir. Voici le couloir secret qu'il faut prendre pour ne pas se perdre dans le labyrinthe. Suivez le premier couloir allant vers le nord jusqu'à une ouverture s'ouvrant vers l'est. Prenez cette entrée et suivez-la jusqu'à la prochaine ouverture allant vers le sud. Entrez dans ce passage et continuez jusqu'à la prochaine entrée menant vers l'ouest. Si vous poursuivez votre trajet en suivant toujours ce modèle, vous parviendrez au centre du labyrinthe. »

Le prince remercia la vieille dame, retourna à la forteresse et trouva l'entrée. Mais une fois à l'intérieur, il perdit tout sens de l'orientation. Alors, pour la quatrième fois, il mit la main dans le grand sac que sa mère lui avait donné et en sortit une petite boussole. Il suivit les directives de la vieille dame, nord-est-sud-ouest encore et encore, en s'aidant de la boussole, et arriva ainsi au centre du labyrinthe.

Là, en plein centre, se trouvait un amoncellement de pierres précieuses. Et tout au-dessus de cette montagne brillait un joyau magnifique, la pierre précieuse que le prince devait récupérer, le but ultime de son voyage. Mais ce trésor était gardé par la plus hideuse des créatures. Cette bête féroce avait d'immenses yeux rouges qui étincelaient et elle crachait du feu. Une multitude de squelettes l'entouraient ; c'étaient les restes de ceux qui étaient venus avant le prince.

Le monstre prit conscience que quelqu'un s'était introduit dans les lieux. Il se mit à rugir et commença à se lever. Devant un monstre aussi puissant, le prince comprit que sa petite épée lui serait de peu d'utilité. Il mit la main dans le grand sac et en sortit cette fois une petite flûte en bois. Sans perdre un instant, il se mit à jouer une ancienne berceuse que sa nourrice lui chantait quand il était petit. *(Jouez une douce mélodie à la flûte.)* Le monstre s'arrêta pour écouter la musique. Comme le prince continuait à jouer, la bête se laissa bercer par la mélodie, s'apaisa, s'étendit sur le sol et finit par s'endormir. Continuant à jouer, le prince passa tout près du monstre, s'empara de la pierre précieuse qui appartenait à son peuple, refit le trajet inverse dans le labyrinthe et sortit de la forteresse.

Le prince reprit sa route pour rentrer au palais, mais déjà sa réputation le devançait. On lui demanda ici et là de secourir un voyageur en détresse ou d'aider un village agité. Un soir, marchant sur une route déserte, il comprit qu'à force de s'éloigner de son but premier il s'était complètement égaré. C'est à ce moment que le prince rencontra un groupe de vagabonds, voyageurs comme lui, mais pauvres et affamés. Le prince savait que ces gens pouvaient l'aider. Mais avant de leur demander quoi que ce soit, il se dit qu'il devait faire quelque chose pour eux. Puisant pour la sixième fois dans le grand sac, il en sortit un petit sac. Il le tendit à un des vagabonds qui découvrit quelque chose de magnifique à l'intérieur. *(Tendez le sac de friandises à un élève de la classe.)* Celui-ci le remit à ses compagnons et chacun y trouva une agréable surprise.

En peu de temps, le prince et les voyageurs se lièrent d'amitié. Non seulement les vagabonds montrèrent-ils au prince la route pour rentrer chez lui, mais tous voulurent l'accompagner. Ils voyagèrent ensemble jusqu'au jour où le prince put apercevoir, au loin, les collines entourant son royaume. Mais une dernière épreuve l'attendait. La terre s'était entrouverte, montrant une large crevasse d'où s'échappait une coulée de lave qui s'étendait à perte de vue. Rien au monde n'effrayait plus le prince que cette lave brûlante et fumante. Désespéré, il s'assit, se demandant pourquoi il avait dû parcourir toute cette route pour finalement échouer.

Un de ses compagnons de voyage vint le rejoindre et lui dit qu'il existait un moyen de traverser cette mer de lave, mais que nul ne pouvait lui en dévoiler le secret. Il devait le découvrir lui-même. Et pour la septième fois le prince mit la main dans le grand sac et, cette fois, en tira un tout petit miroir. Voyant son image dans le miroir, le prince comprit que seul son courage et sa détermination lui permettraient de vaincre cette dernière épreuve.

Plus résolu que jamais, le prince se leva, prit son sac, dit au revoir à ses amis et, sans jeter le moindre regard à la lave fumante, rivant plutôt ses yeux sur les terres de son royaume, il traversa sain et sauf de l'autre côté.

C'est ainsi que le prince revint au palais, où il fut accueilli en héros. Bien des années plus tard, le prince fut consacré roi et régna à son tour avec justice et sagesse. Au fil du temps et des générations, on se souvint de lui non seulement pour sa bonté, mais aussi pour son habileté à trouver des solutions de toutes sortes à une multitude de problèmes.

À la fin de cette histoire, l'enseignante ou l'enseignant peut expliquer la théorie des intelligences multiples de Gardner et inviter les élèves à faire le lien entre chacune des épreuves rencontrées par le prince et chacune des sept formes d'intelligence.

Initiation des élèves et des parents aux intelligences multiples

Il est parfois utile d'avoir, par écrit, une brève description de la théorie des intelligences multiples et de la distribuer aux élèves qui la liront et l'amèneront à la maison pour la remettre à leurs parents. Vous pouvez donner l'information qui suit aux élèves à l'intérieur d'un cours sur les intelligences multiples ou l'envoyer aux parents pour les aider à comprendre les raisons qui vous ont incité à choisir cette méthode d'enseignement et pour leur expliquer la signification des termes que leur enfant emploiera, comme « kinesthésique », « intrapersonnel » et « intelligences multiples ». Cette description est suivie d'une série de questions visant à faciliter les échanges entre parents et élèves.

Théorie des intelligences multiples — Information pour les élèves et les parents

À titre d'enseignant, je crois que tous les élèves possèdent des forces diverses. Les gens ne sont pas tous intelligents de la même manière. Chacun de nous possède ses propres talents et les exprime de façon différente et personnelle. Mes idées sur les méthodes d'apprentissage des enfants et des adultes proviennent, en grande partie, de la théorie des intelligences multiples créée par le psychologue Howard Gardner, de l'Université Harvard. Selon Gardner, il existe au moins sept formes d'intelligence. J'ai pensé que vous aimeriez en savoir davantage sur ces concepts qui ont influencé mon approche pédagogique. Je vous expliquerai plus loin la théorie des intelligences multiples, mais laissez-moi d'abord définir certains termes.

1. Une théorie explique le comment et le pourquoi de certains phénomènes. Voici l'exemple d'une théorie : « Le fait de voir l'éclair avant d'entendre gronder le tonnerre indique que la lumière voyage plus vite que le son. »
2. Le mot « multiple » signifie plusieurs.
3. L'intelligence est l'aptitude à apprendre, à résoudre des problèmes et à se perfectionner.
4. Un psychologue est un scientifique qui étudie la pensée et le comportement des personnes. Howard Gardner, psychologue à l'Université Harvard, a créé une nouvelle théorie portant sur les intelligences multiples.
5. Selon la théorie des intelligences multiples, les individus peuvent apprendre, résoudre des problèmes et développer leur intelligence de plusieurs façons.

Dans sa théorie des intelligences multiples, Howard Gardner affirme qu'il existe sept formes d'intelligence humaine[1] et qu'on peut être talentueux dans une de ces formes ou dans plusieurs. Voici comment Gardner décrit ces intelligences.

1. **L'intelligence linguistique** est l'aptitude à penser avec des mots et à employer le langage pour exprimer des idées. On la retrouve chez les poètes, les orateurs, les journalistes de la radio et de la télévision.

2. **L'intelligence logico-mathématique** est la capacité de calculer, de mesurer, de faire preuve de logique et de résoudre des problèmes mathématiques et scientifiques. Cette intelligence est habituellement bien développée chez les scientifiques, les mathématiciens, les comptables et les détectives.

3. **L'intelligence kinesthésique** est la capacité d'utiliser son corps et ses mains avec beaucoup d'habileté. Les athlètes, les danseurs, les chirurgiens, les jongleurs et les artisans se servent de ce type d'intelligence dans leur travail.

4. **L'intelligence spatiale** est l'aptitude à penser avec des images. C'est aussi l'habileté à voir et à créer des images ou des graphiques en y incluant la forme, la couleur et la dimension. Les peintres, les architectes, les sculpteurs, les marins et les pilotes, en sont de bons exemples.

5. **L'intelligence musicale** est l'aptitude à reconnaître le ton, le rythme, le timbre et la sonorité. Les chanteurs, les musiciens, les compositeurs et les amateurs de musique font preuve de ce type d'intelligence.

6. **L'intelligence interpersonnelle** est l'aptitude à comprendre et à interagir avec les autres de diverses façons. Les enseignants, les travailleurs sociaux, les comédiens et les politiciens utilisent cette forme d'intelligence.

7. **L'intelligence intrapersonnelle** est l'aptitude à comprendre nos émotions et qui nous sommes en ce monde. C'est l'intelligence qu'on retrouve chez les psychologues, les philosophes et les auteurs dramatiques.

Nous possédons tous les sept formes d'intelligence. Toutefois, certains préfèrent se servir de celle-ci et d'autres de celle-là. Ces formes d'intelligence apparaissent à des âges différents. Par conséquent, si une personne présente peu de talent dans un domaine particulier, il est possible qu'elle manifeste ce talent plus tard, en vieillissant. Fait à noter, toutes ces formes d'intelligence peuvent se développer avec un peu d'effort et d'exercice.

L'important, c'est de se rappeler que chaque personne possède des habiletés différentes et une façon d'apprendre et de penser qui lui est propre. Dans ma classe, je veux m'assurer que tous mes élèves ont l'occasion d'apprendre en utilisant les sept approches différentes. De cette façon, chaque élève pourra utiliser la forme d'intelligence qui est sa force à certains moments et, d'autres fois, acquérir des habiletés offrant un plus grand défi.

1. Depuis ces dernières années, une huitième intelligence est apparue, soit l'intelligence naturaliste.

Questions pouvant susciter un échange entre élèves et parents

Quelles sont tes activités préférées ?

Quelles formes d'intelligence utilises-tu en réalisant tes activités préférées ?

D'après toi, quels types d'intelligence sont les plus forts chez toi ?

Comment as-tu développé ces intelligences ?

Quel rôle l'école a-t-elle joué dans le développement de tes intelligences ?

Quel est le rôle de tes expériences personnelles dans le développement de tes intelligences ?

Comment utilises-tu tes intelligences dans la vie de tous les jours ?

Quelles intelligences aimerais-tu développer davantage ? Pourquoi ? Comment utiliserais-tu ces intelligences ?

Que pourrait faire l'école pour aider davantage les élèves à développer toutes leurs intelligences dans leur apprentissage scolaire ?

Modèle de lettre aux parents

J'ai trouvé profitable d'envoyer une lettre aux parents décrivant ma classe et expliquant comment j'enseigne et pourquoi je procède ainsi. Ma lettre était accompagnée du texte « Théorie des intelligences multiples — Information pour les élèves et les parents » vu précédemment. En retour, j'ai reçu des lettres de parents m'exprimant toujours leur intérêt et leur reconnaissance. Jamais je n'ai reçu de réponse négative (je me croise les doigts !).

Chers parents,

En ce début d'année scolaire, je désire vous présenter ma classe et ma méthode d'enseignement. Tous les ans, je constate que chaque élève possède des intérêts et des talents qui lui sont propres ; c'est pourquoi chaque année scolaire est, à mes yeux, une nouvelle aventure remplie de défis différents à relever. Parmi ces défis, il y a celui d'aider chacun de mes élèves à découvrir sa façon personnelle d'apprendre avec facilité, à développer au maximum ses talents propres, à apprendre à utiliser ses forces pour dépasser ses faiblesses. J'organise ma classe en fonction de ces défis.

Ma classe est unique en son genre, car mes élèves travaillent dans sept centres d'apprentissage différents chaque avant-midi. Ils se déplacent en petit groupe d'un centre à l'autre et, dans chacun des centres, ils étudient la matière du jour de façon différente. Les sept méthodes d'apprentissage reposent sur une théorie créée par le psychologue Howard Gardner, de l'Université Harvard. Dans son ouvrage, *Les Formes de l'intelligence*, Gardner affirme que l'esprit humain est unique et que, par conséquent, nous pensons tous de façon différente.

Je joins à cette lettre un texte expliquant la théorie des intelligences multiples selon Howard Gardner. Les élèves liront ce texte dans un des centres d'apprentissage, au cours de la première semaine de classe. Comme vous pourrez le constater, les élèves de ma classe apprennent non seulement par le biais de l'écriture, de la lecture et de la mathématique, mais aussi par la musique, les arts, la construction, le mouvement, l'interaction avec les autres, la pensée et la réflexion.

En plus des tâches accomplies dans chacun des centres, les élèves travaillent à des projets mensuels indépendants. Ils choisissent eux-mêmes leurs projets de recherche, qui demanderont de trois à quatre semaines de préparation. Une fois un projet terminé, les élèves doivent enseigner aux autres ce qu'ils ont appris en utilisant des tableaux et des diagrammes, du théâtre, de la musique, des histoires, des graphiques, des échéanciers, des modèles, des chansons, des bandes vidéo, des problèmes à résoudre pour la classe et des casse-tête. Dans les centres d'apprentissage de ma classe, les élèves étudient la matière, mais ils apprennent aussi à utiliser les sept formes d'apprentissage. Les projets individuels ont l'avantage d'approfondir la matière et les talents exercés, tout en permettant aux élèves de travailler sur un sujet qui les intéresse vraiment. Le projet individuel est à la fois excitant et très motivant pour les élèves. Je vous encourage à y participer en travaillant avec votre enfant à la recherche pour ses projets et à la préparation de ceux-ci.

Enfin, je termine en vous informant que je suis toujours en quête d'adultes qui utilisent diverses formes d'intelligence et qui aimeraient travailler avec mes élèves. Jouez-vous d'un instrument ? Faites-vous de l'artisanat ? Connaissez-vous à fond un sujet particulier ? Aimez-vous passionnément votre métier ou votre travail ? Si c'est le cas, je serais heureux de vous inviter à venir dans ma classe pour partager vos talents ou vos intérêts avec mes élèves. En fait, je vous invite aussi à venir nous rencontrer simplement pour observer, poser des questions et en savoir davantage sur ce que nous faisons.

Je me fais un plaisir de faire équipe avec vous et votre enfant cette année !

Mes cordiales salutations.

Autoévaluation de l'élève (questionnaire)

Après avoir initié les élèves à la théorie des intelligences multiples, peut-être voudrez-vous leur distribuer ce questionnaire où chacun doit indiquer ses forces connues. Vous obtiendrez ainsi une mine de renseignements sur chacun de vos élèves, sur sa façon d'apprendre et sur comment il perçoit ses talents.

Si vous faites remplir ce questionnaire avant de commencer à enseigner selon la théorie de Gardner, vous aurez toutes les données nécessaires pour voir la progression de chaque élève durant l'année.

Dans ma propre classe, je fais remplir le questionnaire aux élèves en début d'année. Je trouve que les élèves ont en général entre deux et quatre formes d'apprentissage préférées. Comme ils ont la possibilité d'utiliser les sept formes d'intelligence pour apprendre, alors le nombre de leurs formes d'apprentissage préférées augmente.

Vous pouvez aussi distribuer ce questionnaire en début d'année, puis une ou deux fois en cours d'année pour voir les changements qui s'opèrent tant dans leurs préférences que dans la perception personnelle de leurs talents.

MA FAÇON D'APPRENDRE

Nom : ______________________________

1. Quelle est ta matière préférée à l'école ?
   ____
2. Quel est ton passe-temps préféré à la maison ?
   ____
3. De quelle façon aimes-tu apprendre des choses (en lisant, en dessinant, en jouant des pièces de théâtre, etc.) ? ______________________________
4. Mets un crochet si tu as de la facilité :
   ____ à lire
   ____ à discuter
   ____ à rédiger ton journal, de la poésie ou d'autres textes
   ____ en musique (le chant, le rythme, l'écoute, le jeu d'un instrument)
   ____ en art (le dessin, la peinture, la sculpture, le collage, etc.)
   ____ en math (le calcul, la résolution de problèmes, la mesure, etc.)
   ____ en exécution de mouvements (le mime, la danse, la jonglerie, etc.)
   ____ en construction (la construction d'objets avec divers matériaux)
   ____ à travailler avec les autres
   ____ à travailler de façon autonome et à réfléchir
5. Énumère d'autres choses que tu fais bien et qui ne figurent pas dans cette liste :
   ____
6. D'après toi, quelle est ta plus grande forme d'intelligence ? Choisis-en une.
   Linguistique ________ Mathématique ________
   Kinesthésique ________ Visuelle ________
   Musicale ________ Interpersonnelle ________
   Intrapersonnelle ________
7. Qu'est-ce que tu aimerais améliorer ?
   ____
8. Qu'est-ce que tu es en train d'améliorer ?
   ____
9. Quels sont les sujets que tu aimerais approfondir ?
   ____
10. Quelles sont tes idées ou tes suggestions pour aider à rendre l'école ou la classe plus intéressante ? ______________________________
    ____

Plan d'un cours en sept étapes fondé sur les intelligences multiples

Voici le tout premier plan de cours de cet ouvrage. Il est opportun de le présenter maintenant, car il permet d'initier les élèves aux sept formes d'intelligence. Les activités de ce cours peuvent se dérouler dans l'ordre de votre choix, par enseignement magistral ou par l'intermédiaire des sept centres d'apprentissage. Vous trouverez aussi les directives destinées aux élèves pour chacun des centres. Si vous le désirez, vous pouvez simplement photocopier les pages de ces sept activités et les distribuer à vos élèves.

Domaine :	**La psychologie et la santé, l'aptitude à réfléchir**
Idée de base :	**Les multiples facettes de l'intelligence humaine**
Principe à enseigner :	**L'individu et ses modes d'apprentissage uniques**
Module :	**Notre corps, notre cerveau, nos habiletés**
Ordres d'enseignement :	**De la 3e primaire à la 5e secondaire**

Matériel requis :

Photocopiez et distribuez aux élèves les documents suivants :

1. **La théorie des intelligences multiples destinée aux élèves et aux parents, pour l'activité linguistique.**
2. **Les données d'une résolution de problèmes logico-mathématiques, à distribuer à tous les élèves.**
3. **Une copie de la description des sept personnages célèbres, pour l'activité interpersonnelle.**
4. **Une copie par élève de la liste des questions destinées à l'activité intrapersonnelle.**
5. **Une copie vierge, pour chaque élève, du graphique destiné à l'activité visuo-spatiale.**
6. **Des instruments de musique simples à jouer et en nombre suffisant pour un petit groupe de travail.**

Activité linguistique

Lisez à haute voix la description de la théorie des intelligences multiples. Ensuite, discutez avec les élèves des points suivants :

- Que veut dire être intelligent ?
- Quelle est votre plus grande forme d'intelligence ?
- Nommez une personne qui a une ou plusieurs formes d'intelligence.

Activité logico-mathématique

Trouvez une solution à ce problème.

Gabriel, Danièle, Kim, Maria, Li, Kumar et Jamal sont tous réunis chez Jamal et tentent de résoudre un problème qu'ils ont reçu comme devoir. Chacun est particulièrement doué dans une forme d'intelligence.

Gabriel est le plus actif du groupe ; il aime bouger et circuler pendant qu'il travaille à la résolution du problème. Maria et Li n'aiment pas être seules. Kim demande à Jamal de fermer la radio. Danièle n'aime pas résoudre un problème sans avoir une formule quelconque. Kumar est venue avec tout son matériel à dessin. Li a apporté une montagne de livres. Jamal s'affaire à organiser le petit groupe.

Pouvez-vous associer chaque élève à une forme d'intelligence ? Quelle est la force de chacun ?

Gabriel : ____________________
Danièle : ____________________
Kim : ____________________
Maria : ____________________
Li : ____________________
Kumar : ____________________
Jamal : ____________________

Activité kinesthésique

Formez un petit groupe et faites ensemble une liste des différents métiers demandant des aptitudes physiques, comme la menuiserie et la chirurgie. Choisissez deux de ces métiers et inventez un jeu de mime silencieux pour représenter les personnes qui exercent ces deux métiers. Préparez-vous à présenter vos deux jeux de mime à vos camarades de classe et à leur demander de deviner de quels métiers il s'agit.

Activité spatio-visuelle

Utilisez le diagramme circulaire fourni pour illustrer vos sept formes d'intelligence. Divisez le diagramme en sept secteurs, chacun de la dimension correspondant à votre force dans cette forme d'intelligence.

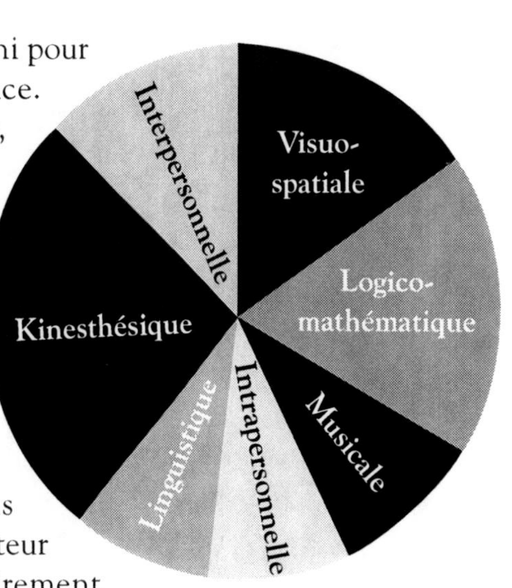

Par exemple, si vous aimez lire, écrire et parler, vous ferez probablement un grand secteur pour l'intelligence linguistique. Si vous ne savez pas chanter ni jouer d'un instrument de musique ou si vous n'écoutez pas de musique, votre secteur pour l'intelligence musicale sera sûrement petit.

Activité musicale

Utilisez les instruments de musique à votre disposition et créez un rythme pour accompagner les paroles suivantes :

Les intelligences multiples, ça c'est génial
Ça veut dire que tout le monde est original
On est tous pleins de talents... différents
Et tous à notre manière on est intelligent

Activité interpersonnelle

Formez de petits groupes. Demandez à une personne de votre groupe de lire à haute voix la description d'un personnage célèbre illustrant une forme d'intelligence particulière. Après la lecture du texte, discutez des points suivants.

1. Quelle forme d'intelligence ce personnage illustre-t-il ?
2. Comment cette personne a-t-elle exprimé son intelligence ?
3. Pourquoi ce personnage est-il célèbre ?
4. Connaissez-vous d'autres personnes ayant les mêmes aptitudes ?

William Shakespeare

William Shakespeare est un écrivain anglais ayant vécu il y a plus de 400 ans. Auteur de poèmes et de pièces, il est considéré comme le plus grand dramaturge (personne qui écrit des pièces dramatiques) et le plus grand poète de langue anglaise de tous les temps. Encore aujourd'hui, Shakespeare est l'auteur le plus populaire au monde. Ses pièces ont été jouées des milliers de fois dans les pays du monde entier.

Parmi ses œuvres les plus connues, on retrouve *Richard III*, *Roméo et Juliette*, *Macbeth*, *Hamlet* et *Songe d'une nuit d'été*. Il a écrit trois genres de pièces : des comédies, des tragédies et des pièces historiques. *Songe d'une nuit d'été* est une comédie, *Macbeth* est une tragédie et *Richard III* est une pièce historique.

Shakespeare est devenu célèbre parce qu'il comprenait les gens et leurs expériences de la vie. On aime les personnages de ses pièces parce qu'ils vivent des situations que nous pourrions tous connaître dans notre vie de tous les jours, comme la jalousie, une lutte de pouvoir ou un coup de foudre.

Albert Einstein

Albert Einstein est l'un des plus grands scientifiques au monde. Il a étudié le temps, l'espace, la masse, le mouvement et la gravité. Il est célèbre pour son équation $E = mc^2$ (énergie = la masse multipliée par la vitesse de la lumière au carré), ce qui veut dire que la matière et l'énergie sont égales. En comprenant cette équation, les scientifiques ont pu fabriquer l'énergie atomique et la bombe atomique.

Einstein a mis au point ses théories grâce non seulement à des calculs mathématiques, mais aussi à sa pensée et à ses réflexions profondes. Il s'intéressait énormément à la philosophie, à la musique et à la politique. Il croyait profondément à la paix mondiale, même si ses idées ont mené à la fabrication de la bombe atomique.

Avant Einstein, les scientifiques croyaient que la lumière était comme une vague. Einstein a proposé de voir la lumière comme un petit courant de particules appelées *quanta*. Cette découverte a mené à l'invention du cinéma et de la télévision.

Parmi les découvertes les plus célèbres d'Einstein, mentionnons la théorie de la relativité, qui porte sur le temps et l'espace. Il a découvert que si un voyageur spatial devait quitter la Terre et voyager dans l'espace, à son retour parmi nous il serait plus jeune que s'il était demeuré sur notre planète Terre.

Martha Graham

Martha Graham était une danseuse et une chorégraphe (personne qui crée des danses) américaine. Elle a inventé la « danse moderne » et utilisait tout son corps dans des mouvements de danse pour exprimer ses idées et ses émotions. Souvent, ses danses n'étaient pas gracieuses, parce qu'elle exprimait des sentiments comme la colère, la peur et la haine qu'elle rendait par des mouvements durs et saccadés. Dans les années 30, 40 et 50, le style unique de Martha Graham a souvent offusqué les spectateurs, mais c'est ce style qui nous a permis de voir la danse sous un jour nouveau.

Graham était toute jeune lorsqu'elle a commencé à danser et elle a continué à le faire pendant plus de 80 ans. Plusieurs de ses danses racontent l'histoire que les femmes vivaient, les mythes, la vie à la campagne des Américains et diverses cultures. Elle disait que la danse rend visibles nos sentiments profonds.

Pablo Picasso

Picasso est le peintre le plus célèbre de notre siècle. Il a créé de nouveaux styles artistiques et, souvent, quand le public en acceptait un, il s'empressait d'en créer un autre, complètement nouveau. Il répondait aux changements qui survenaient dans le monde entier durant le XXe siècle, mais aussi à ses propres changements intérieurs. Son art reflétait ces transformations.

Les peintures de Picasso sont remplies d'images étranges et déformées qui ressemblent à ce qu'on pourrait voir dans un cauchemar. Par ces images, le peintre semblait essayer de mettre la personne qui regarde le tableau en contact avec ses pensées et ses sentiments intérieurs. L'ensemble de son art est influencé par le style de son pays d'origine, l'Espagne. Une de ses œuvres les plus célèbres, *Guernica*, représente le bombardement d'une ville de son pays pendant la guerre civile d'Espagne.

Alors qu'il était jeune peintre, Picasso a produit toute une série de tableaux où l'on retrouve beaucoup de bleu ; c'est pourquoi on dit que c'est sa « période bleue ». Ensuite, il a utilisé des couleurs chaudes pour exprimer toutes sortes d'atmosphères dans ses œuvres. Puis, il a connu une phase où il peignait des scènes de cirque, suivies par une autre où il représentait des formes gigantesques. Plus tard, ses tableaux devinrent tellement déformés et morcelés qu'on pouvait difficilement deviner ce qu'ils représentaient.

À la fin de sa vie, Picasso a ajouté à ses tableaux des coupures de journaux, des mots, des débris. Picasso est célèbre pour ses peintures d'abord, mais aussi pour ses sculptures, ses céramiques et ses dessins.

Ray Charles

Ray Charles est un chanteur et un compositeur noir américain. Rendu populaire vers les années 50 comme chanteur de jazz, il est considéré encore aujourd'hui comme un des meilleurs chanteurs pop américains. Dernièrement, il a connu un regain de popularité grâce à une annonce publicitaire où des gens de tous âges vantent une boisson gazeuse.

Charles a perdu la vue à l'âge de six ans. Il joue du piano et chante avec beaucoup d'émotion et d'enthousiasme. Il peut chanter aussi bien le rock que le blues. *I Got a Woman* est la chanson qui l'a rendu populaire et qui l'a propulsé aux premiers rangs de la chanson américaine. Il a eu d'autres grands succès, comme *What I say* et *Georgia On My Mind.*

Au début de sa carrière, il a chanté avec plusieurs groupes, mais dernièrement il a préféré se présenter en solo. Même s'il est maintenant dans la soixantaine, Ray Charles continue à donner des spectacles à travers le monde entier.

Mère Teresa

Mère Teresa est une religieuse catholique romaine qui a vécu en Inde et qui a travaillé auprès des pauvres, des affamés et des malades de Calcutta. Il y a plus de 40 ans maintenant, elle a fondé un ordre religieux en Inde qui a pour mission de fournir des hôpitaux, des écoles, des refuges, des orphelinats et des centres jeunesse aux personnes qui sont affamées, malades ou mourantes. Son œuvre s'est répandue dans cinquante villes en Inde et dans trente pays partout dans le monde.

Mère Teresa est née en Yougoslavie ; à 18 ans, elle s'est faite religieuse. En 1948, elle quittait son couvent pour se rendre à Calcutta, l'une des villes les plus pauvres du globe. Et c'est là qu'elle s'est senti appeler à venir au secours des plus démunis. Son œuvre lui a valu bien des prix et des honneurs. En 1979, elle recevait le prix Nobel de la paix pour son travail auprès des pauvres. Ce prix est habituellement donné à des présidents ou à des personnes ayant une grande influence dans le monde. C'est la plus haute distinction humanitaire qu'on puisse recevoir.

Emily Dickinson

Emily Dickinson est l'un des plus grands poètes américains du 19e siècle. Encore aujourd'hui, on la considère comme l'un des meilleurs poètes de langue anglaise.

Elle a passé la majeure partie de sa vie isolée dans la maison familiale du Massachusetts. Elle ne s'est jamais mariée et avait peu d'amis. Elle passait la plus grande partie de son temps seule, à examiner ses sentiments profonds et à s'en inspirer pour écrire. Ceux qui ont étudié son œuvre croient que c'est parce qu'Emily a mis tant de temps à approfondir ses sentiments qu'elle a pu en parler avec tant d'originalité.

En général, ses poèmes sont courts et n'ont pas de titre. Souvent, ils sont tristes et parlent de solitude, d'angoisse et de mort. Elle a aussi écrit sur l'âme, sur Dieu et sur l'immortalité. Dickinson a rédigé plus de 1700 poèmes, mais seulement sept d'entre eux ont été publiés de son vivant et, qui plus est, sans son autorisation. Elle écrivait en secret. Ce n'est qu'après la mort de la poétesse que sa sœur a découvert son œuvre.

Activité intrapersonnelle

Maintenant que vous connaissez la théorie des intelligences multiples, analysez vos forces et vos aptitudes personnelles. Prenez quelques instants pour réfléchir en silence puis, avec les membres de votre groupe, discutez des points suivants.

- Selon vous, où est votre plus grande force parmi les sept formes d'intelligence ?
- Comment l'avez-vous acquise ?
- Comment utilisez-vous ce talent ?
- Que faites-vous pour vous perfectionner dans ce domaine ?
- Trouvez une nouvelle façon d'utiliser ce talent.
- Quelle nouvelle forme d'intelligence aimeriez-vous expérimenter ?

Évaluation

Montrez votre compréhension de la théorie des intelligences multiples en préparant une démonstration pour la classe. Vous pouvez travailler individuellement ou en groupe de deux ou de trois. Votre démonstration doit comprendre au moins un des éléments suivants :

1. Un court sketch ou une entrevue présentant diverses personnes qui illustrent au moins sept formes d'intelligence.
2. Une affiche avec illustrations et étiquettes pour chacune des sept intelligences. Les illustrations peuvent être dessinées ou tirées de revues.
3. Un court texte qui explique la théorie en utilisant des exemples de personnes célèbres que vos camarades pourront reconnaître.
4. Un questionnaire que les élèves pourront utiliser pour déterminer leurs formes personnelles d'intelligence.
5. Une chanson sur les IM, dans laquelle vous nommez les sept formes d'intelligence et décrivez l'utilisation qu'on en fait.

La grille d'évaluation qui suit peut vous aider à mesurer l'efficacité de votre démonstration.

Évaluation sommaire de la présentation des intelligences multiples

Résultat ▶	Excellent	Suffisant	Incertain
CRITÈRES :			
A présenté les sept intelligences			
A compris les sept intelligences			
A produit un énoncé clair et facile à comprendre			
A suscité l'intérêt et a informé			

TROISIÈME

PARTIE

Se préparer à enseigner selon la théorie des intelligences multiples

Nombreux sont les enseignants intéressés à enseigner selon l'approche des intelligences multiples. Mais nous sommes naturellement portés à utiliser des méthodes faisant appel à nos forces personnelles et à éviter celles avec lesquelles nous sommes mal à l'aise.

Cette partie du guide invite les enseignants à examiner leurs approches pédagogiques habituelles et à définir les appuis dont ils auront besoin pour s'enrichir de nouvelles approches. Ensuite, je les aide à mettre en œuvre une pédagogie favorisant les intelligences multiples en leur proposant une série de stratégies pédagogiques pour chaque forme d'intelligence. Comme première étape, je suggère aux enseignants de vérifier d'abord toutes les listes en indiquant d'un crochet les stratégies qu'ils utilisent couramment et en marquant d'une étoile celles qui pourraient facilement être intégrées à l'horaire quotidien. Pour chacune des intelligences, je décris en détail au moins une stratégie. À la fin de cette section, les enseignants trouveront à leur intention des exercices pratiques dans deux domaines, soit le vocabulaire et la multiplication ; ces exercices font appel aux sept intelligences, facilitant ainsi l'intégration de ces deux matières essentielles.

TROISIÈME PARTIE — CONTENU

Réflexion — Les stratégies pédagogiques que je privilégie

Le but de ce questionnaire est de vous faire réfléchir sur votre méthode d'enseignement habituelle. Après avoir répondu à toutes les questions, relisez-les et tentez de découvrir les formes d'intelligence que vous avez tendance à négliger. Vous pouvez pallier la situation en intégrant à votre enseignement les stratégies proposées plus loin et qui portent sur ces formes d'intelligence.

Les formes d'intelligence que je privilégie sont :
1. ______________________________
2. ______________________________
3. ______________________________

Le contenu de la matière que j'enseigne implique les intelligences suivantes : (Vérifiez s'il y a relation avec le numéro 1 plus haut. Si oui, pourquoi ? Si non, pourquoi ?)
1. ______________________________
2. ______________________________
3. ______________________________
4. ______________________________
5. ______________________________

J'enseigne habituellement en utilisant les formes d'intelligence suivantes :
1. ______________________________
2. ______________________________
3. ______________________________

Exemples pour chacune des réponses données à la question précédente :
1. ______________________________
2. ______________________________
3. ______________________________

Je néglige habituellement la ou les formes d'intelligence suivantes :
1. ______________________________
2. ______________________________

Je la ou les néglige pour les raisons suivantes :

____

____

J'accepterais d'enseigner en favorisant cette ou ces formes d'intelligence à la condition suivante :

____

____

J'aurais besoin, pour ce faire, des éléments suivants :

____

____

Stratégies — Activités linguistiques et journal

1. Pendant cinq minutes, les élèves réagissent à l'information donnée dans le cours en écrivant rapidement leurs premières impressions.
2. Les élèves racontent des anecdotes illustrant comment, dans leur vie quotidienne parascolaire, ils mettent en application certains concepts étudiés en classe.
3. Pour s'exercer à communiquer efficacement, les élèves se groupent deux par deux et, à tour de rôle, écoutent l'autre donner les directives d'un devoir.
4. Pour apprendre le vocabulaire d'une matière, les élèves fabriquent des grilles de mots croisés.
5. Les élèves discutent d'un sujet sous tous ses angles.
6. Les élèves rédigent un texte décrivant le contenu d'une matière étudiée qui les a particulièrement touchés.
7. Réunis en petits groupes, les élèves font chacun un exposé improvisé d'une minute sur un sujet déterminé par l'enseignante ou l'enseignant portant sur une matière au programme.
8. Lors de la lecture des livres au programme, les élèves révisent chaque page en créant des mots clés ou des phrases reflétant le contenu de la page.
9. À titre de jeunes experts, les élèves présentent de courts exposés sur des sujets au programme.
10. En se servant d'un mot représentant un concept large, comme le mot « interdépendance », les élèves créent une phrase avec chaque lettre du mot qui en explique la signification.

Exemple d'une activité linguistique : le journal de l'élève

L'écriture du journal peut s'intégrer à toutes les matières enseignées. En tenant leur journal, les élèves peuvent poursuivre divers objectifs : expliquer le contenu du cours ou les méthodes de résolution de problèmes, exprimer leurs sentiments face au contenu du cours, poser des questions sur les éléments qui demeurent obscurs ou dévoiler leurs difficultés directement à leur enseignante ou enseignant. Avant de commencer le journal, les enseignants devraient d'abord déterminer si les élèves tiendront leur journal dans leur classe seulement ou également dans les autres classes. Le journal est une activité linguistique très efficace qui peut revêtir diverses formes. En voici des exemples.

1. Les point saillants

L'élève écrit dans son journal les idées principales, les détails utiles ou les méthodes de résolution de problèmes de son unité. Il peut tenir un journal quotidien, hebdomadaire, ou écrire de façon spontanée ou occasionnelle.

2. Le journal personnel

L'élève décide de la forme et du contenu de son journal personnel. Un peu comme dans un journal intime, il fait état de ses sentiments et de ses pensées. Certains aiment y écrire des histoires ou de la poésie, raconter leurs rêves, parler de leurs peurs et de leurs espoirs. Certains enseignants demandent à leurs élèves de remplir leur journal personnel chaque jour.

3. Le cahier de notes

Léonard de Vinci consignait ses idées dans un cahier de notes.

Ce type de journal évolue au rythme des intérêts de l'élève et peut prendre toutes les formes, du dessin à main levée aux graphiques statistiques. On l'utilise, au besoin, de façon spontanée.

4. Le dialogue écrit

Le dialogue écrit se fait habituellement en collaboration avec l'enseignante ou l'enseignant, ou encore avec les autres camarades de classe. L'élève amorce une histoire ou une narration et ses collaborateurs y répondent soit en donnant leurs commentaires, soit en poursuivant l'histoire. Ce genre de journal exige beaucoup de temps de la part de l'enseignante ou de l'enseignant, mais il est très motivant pour l'élève. Les élèves écrivent habituellement dans leur journal à des jours précis de la semaine.

5. La simulation

Dans ce type de journal, l'élève prend le rôle d'une autre personne ; ce peut être un auteur, un personnage historique, un scientifique, un personnage fictif, un animal ou un objet inanimé. Ce journal aide l'élève à comprendre les choses sous leurs multiples facettes. L'écriture se fait à intervalles irréguliers.

6. Le rapport de lecture

Ce journal fait état de la compréhension, de l'interprétation, de la critique et de l'analyse des ouvrages lus par l'élève. L'élève le rédige pendant et après la lecture d'ouvrages désignés.

7. Le journal de la classe

Tous les membres de la classe participent à l'écriture de ce journal. Le cahier est placé bien en vue, sur une table ou ailleurs dans la classe, pour que les élèves, les enseignants et les personnes invitées puissent écrire sur des sujets précis ou qui leur viennent spontanément à l'esprit. Ce type de journal est sans contredit un élément de motivation d'importance pour inciter les élèves à lire et à écrire.

Stratégies — Activités logico-mathématiques

1. Face à un problème donné, les élèves planifient des stratégies visant à trouver une solution au problème avant de tenter de le résoudre.
2. Les élèves essayent de discerner la structure du contenu des leçons ou de faire des liens entre les diverses leçons.
3. Quand ils proposent des solutions à un problème, les élèves doivent appuyer leurs réponses d'une explication logique et rationnelle.
4. Les élèves créent ou déterminent des catégories afin de répartir des données.
5. Pour approfondir les matières à l'étude, les élèves mènent des recherches et analysent des données sur des sujets de leur choix ou des sujets assignés par l'enseignante ou l'enseignant.
6. Par groupe de deux, les élèves inventent les données d'un problème en y incorporant la matière étudiée pendant les cours.
7. Les élèves participent à des discussions qui demandent une capacité de raisonnement supérieure comme comparer et faire des contrastes, donner des réponses de cause à effet, analyser, faire des hypothèses et des synthèses.
8. Dans le cadre d'un projet individuel ou en petit groupe, les élèves utilisent une méthode scientifique pour trouver réponse à une question portant sur un sujet au programme.
9. Les élèves étudient des unités portant sur des thèmes scientifiques ou mathématiques comme la probabilité, la symétrie, le hasard et le chaos.
10. Les élèves utilisent divers outils pour améliorer leur pensée rationnelle comme des graphiques, les diagrammes de Venn, des tableaux et des arbres conceptuels.

Exemple d'une activité logico-mathématique : un jeu de déduction

Peut-être connaissez-vous l'émission de télévision américaine *Jeopardy* où l'on fournit aux participants des réponses plutôt que des questions. Le jeu consiste à trouver la question correspondant à chacune des réponses fournies. On peut facilement utiliser ce jeu en classe pour approfondir un sujet à l'étude. Il suffit de savoir formuler des questions pour jouer à *Jeopardy*.

L'enseignante ou l'enseignant décide de la formule du jeu. Certains écrivent les réponses au tableau et invitent les élèves ou les membres d'un groupe à lever la main, à choisir une réponse et à donner la question lorsqu'on les invite à le faire. D'autres distribuent des cartes aux divers groupes coopératifs et chaque groupe détient une question. On peut aussi privilégier le jeu individuel en distribuant à chaque élève une liste des réponses que l'élève tentera d'associer aux questions.

Mais peu importe la formule choisie, l'élève devra toujours utiliser le raisonnement logique pour trouver la question correspondante aux réponses. Les questions peuvent être relativement simples : Catégorie — continents — *Antarctique* (Quel est le continent le plus froid ?) Mais elles peuvent être plus complexes : Catégorie — biologie — *Mitose* (Avant la division complète d'une cellule, comment appelle-t-on le processus de dédoublement et de séparation de cette cellule d'origine ?) Les questions peuvent aussi faire appel aux capacités de raisonnement d'un plus haut niveau : Catégorie — science de l'environnement — *La crise énergétique* (Quelles sont les conséquences de notre surutilisation des ressources naturelles et de notre demande toujours croissante de consommation d'énergie ?)

Stratégies — Activités kinesthésiques

1. Dans une simulation, les élèves représentent des processus comme ceux de la photosynthèse, de l'adoption d'un projet de loi, de la résolution d'une équation du second degré ou de l'orbite de la Terre autour du Soleil.
2. Utilisant de petits cubes, des cure-dents, des Lego ou des bâtonnets, les élèves travaillent ensemble à bâtir des modèles de chaînes moléculaires, de ponts célèbres ou encore de villes rattachées à l'histoire ou à la littérature.
3. Les enseignants peuvent incorporer à l'horaire de courtes séances d'exercices physiques : exercices au sol, Tai Chi ou étirements par le yoga, jeux demandant du mouvement comme « Simon dit… » ou course dans la cour de l'école.
4. En petits groupes, les élèves peuvent inventer des jeux de grande surface portant sur d'importants concepts vus en classe.
5. Dans des simulations les groupes d'élèves représentent divers pays voulant échanger leurs différentes ressources, ou encore des pionniers cherchant une solution aux problèmes frontaliers.
6. Les enseignants peuvent organiser une course aux trésors pour inciter les élèves à rassembler toute l'information relative à un sujet donné.
7. Quel que soit le contenu, les enseignants peuvent fournir aux élèves du matériel de manipulation pour les aider à résoudre des problèmes de mathématiques, à créer des modèles en art, à construire la réplique d'une cellule ou d'un système, à créer des scénarios pour faire des expériences en langue et en écriture.
8. Organisez des sorties à caractère pédagogique pour étendre l'apprentissage scolaire dans la collectivité.
9. Les élèves apprennent à développer des disciplines physiques comme jongler, danser, se balancer, sauter à la corde, escalader, faire tourner un *hula-hoop* (cerceau), jouer aux quilles, lancer et attraper la balle, travailler avec divers outils.
10. Les élèves miment la leçon du jour.

Exemple d'une activité kinesthésique : le « Jeu des assiettes »

Voici un jeu simple et actif pouvant servir à réviser toute matière. D'abord, procurez-vous des assiettes en carton. Ensuite, choisissez votre sujet, rédigez de 5 à 10 questions qui s'y rapportent et une réponse d'un seul mot par question. Finalement, écrivez sur chaque assiette la réponse à vos questions, en vous assurant que la même réponse se retrouve sur 3 à 5 assiettes différentes. Vous pouvez maintenant faire jouer vos élèves, peu importe leur nombre.

Distribuez les assiettes au hasard dans toute la salle, réponse bien en vue. Expliquez aux élèves que vous lirez une question et qu'ils doivent trouver l'assiette sur laquelle se trouve la bonne réponse. L'élève qui la trouve doit vite poser le doigt ou l'orteil dessus. Lorsque chacun a trouvé une bonne réponse, passez à la question suivante.

Il y a deux règles à suivre à ce jeu :

1. Les élèves ne peuvent se toucher (c'est tout un défi lorsqu'ils sont plusieurs à se lancer sur une même assiette).
2. Les élèves ne doivent pas faire de bruit (sinon, ils ne pourraient pas entendre l'énoncé de la question).

Voici quatre exemples du « Jeu des assiettes » :

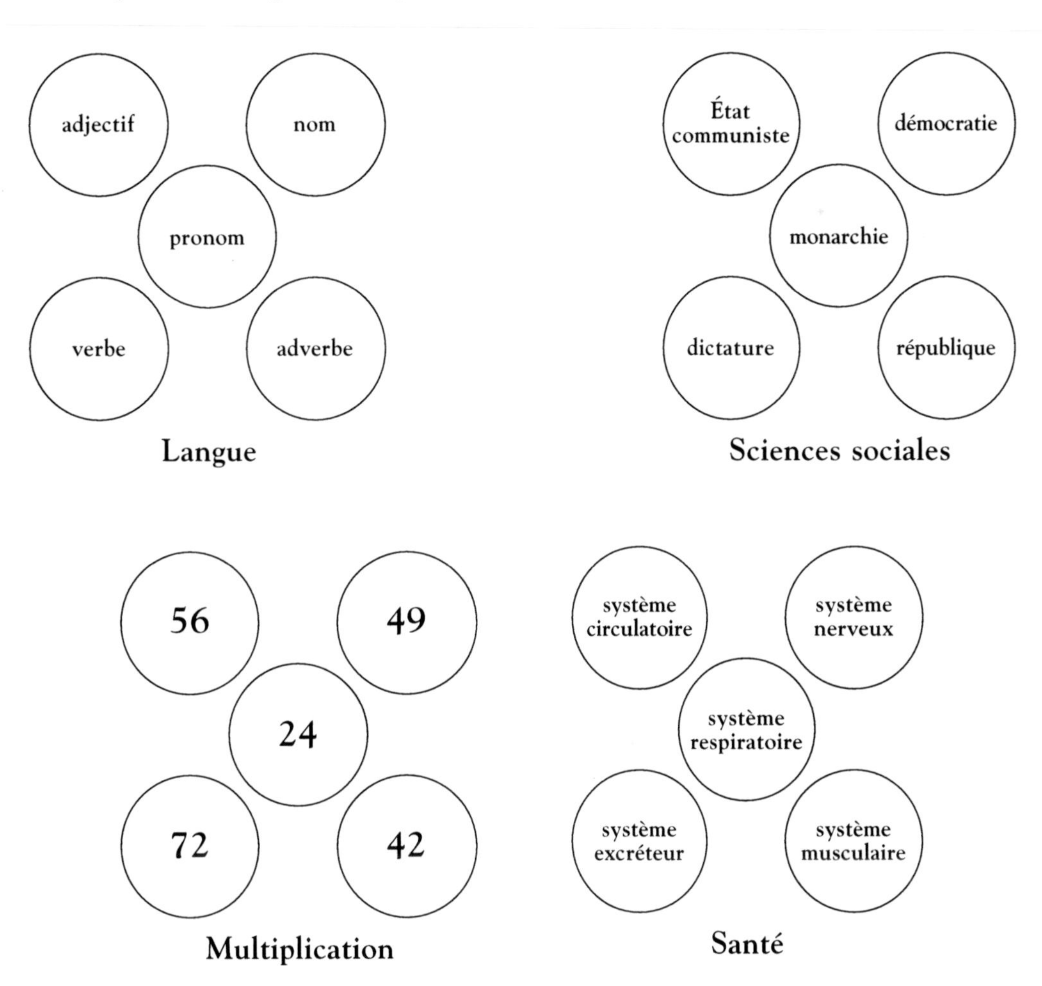

Stratégies — Activités visuo-spatiales

1. Les élèves peuvent faire l'expérience de l'imagerie afin d'améliorer leur rendement mental lors d'un examen, d'un exposé oral devant la classe ou de la résolution d'un conflit.
2. Les élèves font une représentation graphique de ce qu'ils ont appris dans un cours soit à l'aide d'un diagramme, d'un dessin ou d'un arbre conceptuel.
3. Seuls ou deux par deux, les élèves fabriquent un collage illustrant des faits, des idées et des questionnements portant sur un sujet étudié récemment en classe.
4. Les élèves illustrent leurs cours à l'ordinateur à l'aide de graphiques et en font la mise en page.
5. Les élèves illustrent, dans un diagramme, la structure de systèmes reliés entre eux, comme les systèmes corporels, les systèmes économiques, les systèmes politiques, les systèmes scolaires et la chaîne alimentaire.
6. Les élèves partagent leur compréhension d'un sujet donné en créant des diagrammes, des graphiques à bâtons ou des diagrammes circulaires.
7. Réunis en petits groupes, les élèves créent des projets de vidéo ou de photographie.
8. Pour réaliser des activités tridimensionnelles, les élèves conçoivent des costumes ou des décors pour une étude sociale ou littéraire, des outils ou des expériences pour une étude scientifique, du matériel de manipulation ou les plans d'une nouvelle salle de classe ou d'un édifice pour étudier les mathématiques.
9. Les élèves fabriquent des mobiles ou conçoivent des babillards.
10. Les élèves démontrent, dans leurs travaux scolaires, leur compréhension d'un sujet à l'étude en l'illustrant par des formes, des couleurs ou des jeux de mots et des devinettes.

Exemple d'une activité visuo-spatiale : la fabrication de cartes de jeu

La fabrication de cartes de jeu permet aux élèves d'apprendre ou de réviser toute matière à l'étude. Les cartes peuvent être vibrantes, intéressantes et faciliter la mémorisation, si l'on s'amuse à jouer avec les couleurs, les formes et la conception des cartes.

Les cartes peuvent servir à faire des jeux simples. Les jeux « Rummy », « La pêche » et « La bataille » peuvent être adaptés à tout sujet étudié. Faites vos cartes dans du papier de bricolage ou servez-vous de fiches. Planifiez le jeu en vous inspirant du sujet à l'étude et demandez aux élèves d'écrire les cartes et de les illustrer. On peut donner une certaine uniformité aux cartes en les marquant, d'un côté, à l'aide d'un tampon. Elles auront longue vie si elles sont plastifiées.

Les catalogues et les entreprises de matériel scolaire offrent une multitude de jeux commercialisés qui portent sur les auteurs, les artistes, les scientifiques, les explorateurs et les inventeurs. Mais on ne peut trouver de meilleurs jeux que les jeux fabriqués par les élèves et les enseignants.

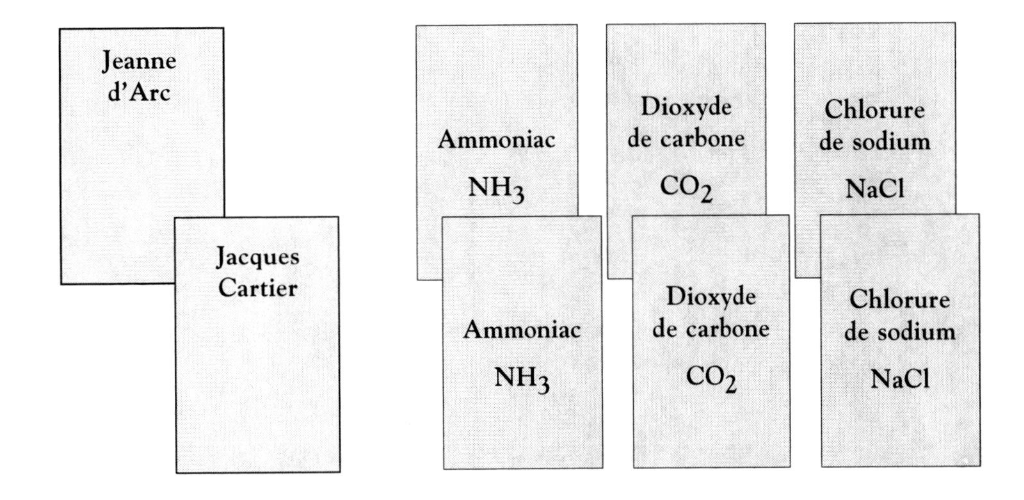

Stratégies — Activités musicales

1. À divers moments de la journée, l'enseignante ou l'enseignant fait jouer une musique douce, en sourdine, pour inciter à la détente ou pour aider à la concentration.
2. Les élèves révisent le contenu d'un cours en adaptant des chansons connues ; il suffit de remplacer le texte original par un texte faisant référence à la matière révisée.
3. Les élèves fabriquent leurs propres instruments à percussion pour accompagner les chansons adaptées ou pour rythmer la récitation de données arithmétiques, de règles, de faits ou l'épellation de mots de vocabulaire.
4. Les élèves choisissent le texte d'une chanson et expliquent son lien avec le contenu du cours.
5. Si les élèves ont accès à des logiciels musicaux, ils peuvent produire des rythmes d'accompagnement pour leurs présentations et leurs rapports multimédias.
6. Les élèves choisissent une musique de fond pour accompagner un rapport ou un exposé oral.
7. Les élèves font entendre des musiques qu'ils auront choisies pour leur structure répétitive, afin d'illustrer les formes géométriques qu'on retrouve en mathématiques, en arts visuels et dans la nature.
8. Pour acquérir des connaissances sur un sujet donné, les élèves écoutent et analysent des chansons préenregistrées traitant de ce sujet.
9. Les élèves analysent la musique pour saisir des concepts comme le lien entre le tout et ses parties, les fractions, les modèles répétitifs, l'évolution du temps et l'harmonie.
10. Les élèves utilisent des métaphores tirées du vocabulaire musical, par exemple, le crescendo en parlant du point culminant d'un conte, une harmonie vocale en parlant de relations interpersonnelles ou la cadence en parlant du rythme dans l'exercice physique.

Exemple d'une activité musicale : des chansons au programme

Il est important d'intégrer de la musique au programme pour agrémenter l'atmosphère de la classe. Il existe des chansons traitant de presque tous les sujets ; elle sont annoncées dans les catalogues et les revues de matériel pédagogique. Les chansons les plus efficaces sont toutefois celles que les élèves et les enseignants composent.

Les élèves peuvent former de petits groupes pour créer tout le texte d'une chanson ou encore un couplet qui fera partie d'une création collective de toute la classe. Proposez aux élèves de choisir une chanson qu'ils connaissent bien, dont le rythme est simple et facile à reconnaître. Cette chanson peut servir de mélodie pour créer des chansons sur les sujets d'étude. Les enseignants peuvent avoir des exigences précises, comme celle d'intégrer dix concepts tirés d'un cours récent, ou encore des questions auxquelles les élèves n'ont pas su trouver réponse. Une fois la chanson terminée, les élèves doivent avoir l'occasion de la chanter et de la montrer à toute la classe.

1. Travaillant en groupes coopératifs, les élèves s'enseignent mutuellement les diverses parties d'une leçon. Chaque élève enseigne aux autres une partie de la matière, tandis que chacun apprend en groupe l'ensemble de la matière.
2. Pour améliorer leur capacité de régler des différends et de négocier des conflits, les élèves s'exercent aux techniques de résolution de conflits soit en simulant des situations conflictuelles ou en utilisant des problèmes réels.
3. Les élèves s'exercent à critiquer mutuellement leurs travaux pour apprendre à donner et à recevoir des commentaires.
4. Les élèves travaillent ensemble à des projets de groupe, chaque élève assumant un rôle lui permettant d'exprimer ses forces, et ce, dans l'intention de développer son esprit de collaboration et de partager son savoir.
5. Les élèves s'engagent dans des activités scolaires ou communautaires afin d'intégrer des valeurs telles que l'empathie, le respect, l'altruisme et le partage.
6. Pour comprendre les autres et apprécier les différences, les élèves étudient divers groupes culturels, y compris leurs coutumes, leurs croyances et leurs valeurs.
7. Formez des groupes de partage de deux personnes ; invitez les élèves à réfléchir sur un sujet donné pour ensuite en discuter avec leur partenaire.
8. Pour comprendre les diverses facettes d'une question, les élèves discutent d'un sujet complexe en défendant des points de vue différents.
9. Les élèves font des entrevues avec des personnes talentueuses pour en connaître davantage sur leur spécialité et pour apprendre à mener efficacement une entrevue.
10. Pour recevoir les enseignements de spécialistes, les élèves travaillent comme apprentis-stagiaires auprès d'experts issus de la communauté.

Exemple d'une activité interpersonnelle : le jeu « Qui s'assemblent se ressemblent »

Cette activité de groupe fonctionne bien lorsqu'on présente à la classe du nouveau matériel. Formez des groupes de quatre ou cinq élèves. Remettez à chaque groupe une série de cartes de jeu numérotées de 1 à 5. Chaque carte dans une série doit contenir une information différente sur le sujet choisi. Tous les groupes doivent avoir la même série de cartes.

Les élèves lisent la carte qu'ils ont choisie et se dirigent vers les autres groupes à la recherche des élèves qui détiennent une carte portant le même numéro que la leur. (Toutes les cartes numéro 1 ensemble, les cartes numéro 2 ensemble, etc.) Ces nouveaux groupes cherchent ensemble une stratégie pour enseigner à leur groupe d'origine le contenu qui se trouve sur leur carte.

Lorsque tous les groupes sont prêts, les élèves retournent à leur groupe d'origine. Maintenant, chaque élève détient une partie de l'information et une méthode pour la transmettre aux autres. Les élèves, à tour de rôle, dévoilent à leur groupe le contenu de leur carte.

Stratégies — Activités intrapersonnelles

1. Au début d'un cours, de l'année scolaire ou d'un semestre, les élèves se fixent des objectifs personnels à court et à long terme.
2. Les élèves gardent à jour leur portfolio pour évaluer leurs acquis.
3. Les élèves choisissent et gèrent certaines de leurs activités d'apprentissage en ayant recours à des horaires, à des échéanciers et à des stratégies de planification, et ce, dans l'intention d'acquérir plus d'autonomie dans leur processus d'apprentissage.
4. Les élèves tiennent quotidiennement un journal personnel afin d'exprimer leurs sentiments et leurs émotions en lien avec les leçons du jour et de partager leurs idées sur la matière du cours.
5. Les élèves expliquent pourquoi certaines matières étudiées leur sont utiles tant à l'école qu'à l'extérieur de l'école.
6. Les élèves choisissent une valeur morale, comme la gentillesse ou la détermination, et l'intègre dans leurs actions de tous les jours, pendant une semaine entière.
7. Pour améliorer leur estime de soi, les élèves s'exercent entre eux à donner et à recevoir des compliments.
8. Au moins tous les trois mois, les élèves mènent un projet individuel de leur choix d'une durée de deux à trois semaines.
9. Les élèves rédigent leur autobiographie pour expliquer comment ils arrivent à mieux se comprendre grâce au contenu des cours.
10. Les élèves utilisent les commentaires de l'enseignante ou de l'enseignant de même que l'autoévaluation pour réfléchir à leurs propres stratégies d'apprentissage, de réflexion et de résolution de problèmes.

Exemple d'une activité intrapersonnelle : le jeu « Je choisis »

Lorsque nous encourageons les élèves à faire des choix qui influenceront leurs expériences scolaires, nous leur donnons la chance d'exercer plus de pouvoir sur leur vie à l'école et de développer simultanément leurs aptitudes intrapersonnelles. Dans cette approche, les choix peuvent rester ouverts, s'appuyer sur les intérêts de l'élève ou être suggérés par son enseignante ou enseignant. Voici quelques suggestions visant à encourager les élèves à choisir leurs expériences d'apprentissage.

- Laissez les élèves décider de l'aménagement de la classe.
- Permettez aux élèves de choisir les sujets de lecture et de rédaction.
- Donnez aux élèves une multitude de choix pour les projets de recherche individuels.
- Établissez l'horaire quotidien en collaboration avec vos élèves.
- Demandez aux élèves d'établir des règles et des méthodes pour régler les problèmes courants lorsqu'ils se présentent.
- Laissez les élèves décider de l'attribution des places.
- Montrez aux élèves à se fixer des objectifs et donnez-leur l'occasion de les réaliser.
- Donnez souvent aux élèves des moments pour la réflexion et l'autoévaluation.
- Fournissez à chaque élève un journal personnel et planifiez du temps pour que les élèves puissent y écrire ce qu'ils pensent de façon régulière.
- Demandez aux élèves d'établir eux-mêmes les critères d'évaluation de leurs travaux.

Lorsqu'ils commencent à enseigner selon la théorie des intelligences multiples, les enseignants sélectionnent souvent un certain nombre de stratégies énoncées plus haut et les groupent sur un même feuillet, pour leur usage personnel. En utilisant toutes ces différentes stratégies, ils permettent à leurs élèves de faire leur apprentissage scolaire au moyen de toutes les formes d'intelligence. Je vous propose deux de ces feuillets : le premier réunit des stratégies pour le vocabulaire et le second, pour la multiplication.

Le vocabulaire et les intelligences multiples

Voici diverses façons d'étudier ton vocabulaire à l'école ou à la maison. Choisis celles que tu préfères. Change de stratégie chaque semaine. Essaie de trouver quels exercices t'aident le mieux à étudier ton vocabulaire.

- Divise tes mots de vocabulaire par catégories. Par exemple, tu peux regrouper tous les mots de huit lettres dans une catégorie. Une autre catégorie pourrait réunir tous les mots ayant plus de un *e* . Vois combien de catégories tu peux inventer.
(Stratégie logico-mathématique)
- Écris tes mots en utilisant diverses couleurs pour les lettres ou les parties de mot que tu trouves difficiles.
(Stratégie visuo-spatiale)
- Invente une histoire en utilisant tous les mots de vocabulaire. Lis ton histoire à quelqu'un en t'arrêtant pour épeler chaque mot de vocabulaire.
(Stratégie linguistique)
- Épelle tes mots sur l'air de l'une de tes chansons préférées.
(Stratégie musicale)
- Crée des lettres de l'alphabet avec ton corps et mime chaque lettre de chaque mot de vocabulaire.
(Stratégie kinesthésique)
- Avec un partenaire, apprends ton vocabulaire par la technique en deux étapes : je pense et je partage.
(Stratégie interpersonnelle)
- Fixe toi-même tes objectifs en décidant de la manière dont tu étudieras ton vocabulaire.
(Stratégie intrapersonnelle)

La multiplication et les intelligences multiples

Voici diverses façons d'étudier les tables de multiplication à l'école ou à la maison. Choisis celles que tu préfères. Change d'exercice chaque semaine. Essaie de trouver quels exercices t'aident le mieux à étudier la multiplication.

- Avec un partenaire, étudie les tables de multiplication par le « Jeu des assiettes ». Sur chaque assiette, écris une réponse de la table de multiplication puis place les assiettes sur le sol. Demande à ton partenaire de crier un énoncé comme 6 x 3. Et toi, saute sur l'assiette correspondant à la réponse, ici celle qui est marquée du nombre 18.
(Stratégies kinesthésique et interpersonnelle)

- Pour chaque donnée de la table de multiplication, fabrique une carte artistique aux couleurs vives. Par exemple, tu pourrais dessiner un modèle de 24 fleurs sur un côté de la carte et, de l'autre côté, écrire l'énoncé 6 x 4.
(Stratégie visuelle)

- Invente de courtes histoires en y incorporant les tables de multiplication. Par exemple, l'histoire pourrait commencer par... *Il était une fois une fille qui jouait au basket-ball et qui a compté quatre points par panier.*
(Stratégie linguistique)

- En examinant une table de multiplication, trouve au moins deux régularités de chiffres.
(Stratégie logico-mathématique)

- Choisis une musique de fond qui jouera en sourdine et qui t'aidera à mieux te concentrer lorsque tu étudieras les tables de multiplication.
(Stratégie musicale)

- Interroge des gens pour savoir de quelle façon ils arrivent à mémoriser les tables de multiplication. Te servir de leurs conseils t'aidera.
(Stratégie interpersonnelle)

- Écris un journal quotidien pour exprimer tes sentiments au sujet de l'étude des tables de multiplication et pour noter les choses que tu apprends chaque jour.
(Stratégie intrapersonnelle)

QUATRIÈME

PARTIE

Évaluer dans une classe à intelligences multiples

Dans ma classe, j'ai trouvé utile de créer de nouveaux modèles d'évaluation plus en adéquation avec mon approche favorisant les intelligences multiples de mes élèves. J'ai appris qu'il était profitable d'avoir avec mes élèves des rencontres d'évaluation coopérative, pour leur permettre d'avoir leur mot à dire sur le choix des critères d'évaluation de leurs travaux. Pour noter leurs progrès, j'ai mis en place le système du portfolio et j'ai créé des formulaires d'évaluation, une fiche de réflexion personnelle et une fiche de rapport en IM. Vous trouverez ce matériel d'évaluation dans cette quatrième partie.

J'aimerais ajouter aussi que tout comme il est possible d'enseigner de sept façons différentes, on peut aussi évaluer les travaux de diverses manières. Les élèves peuvent montrer leurs acquis par des chansons originales, une série de textes, de performances et de projets, ou encore par des travaux à caractère visuel comme des graphiques, des diagrammes ou des échéanciers. De plus, les méthodes d'évaluation des enseignants doivent comporter des évaluations coopératives et des autoévaluations. Pour plus d'information, consultez les sections portant sur l'évaluation dans chaque plan de cours présenté dans cet ouvrage.

Chaque fois que j'évalue mes élèves, j'essaie de ne pas oublier que l'évaluation poursuit plusieurs objectifs. D'abord, elle documente le progrès de l'élève et permet d'en informer les autres. C'est aussi un puissant outil d'information non seulement sur le progrès de l'élève, mais aussi sur l'efficacité de mon enseignement. L'évaluation m'encourage à réfléchir sur les aspects de mon enseignement qui fonctionnent bien et sur ceux qui demandent de l'amélioration. Elle m'informe également sur les forces et le défis de chaque élève et m'invite à trouver des interventions pertinentes. Dans mon esprit, l'évaluation est un dialogue continu, non une période de notation finale.

QUATRIÈME PARTIE — CONTENU

Grille d'évaluation sommaire en IM

Les enseignants doivent consacrer beaucoup de temps à créer du matériel pédagogique et d'évaluation pour chacune des matières. J'ai parfois trouvé utile d'avoir sous la main une grille sommaire d'évaluation applicable à toutes les matières. C'est dans ce but précis que j'ai créé la grille suivante. Elle peut être remplie par l'enseignante ou l'enseignant, l'élève ou les deux à la fois. Elle peut également servir de page couverture à un élément du portfolio.

Nom de l'élève : ______________________________

Tâche : ______________________________

Date : ______________________________

Contenu	**Remarquable**	**Bon**	**Passable**	**À améliorer**
Démontre une compréhension des concepts importants				
Fournit des exemples de concepts importants				
Applique le contenu à d'autres domaines ou à des situations de la vie courante				
Répond aux questions posées				

Habiletés

Démontre des aptitudes évidentes en recherche				
A su communiquer efficacement le contenu à l'auditoire				
A utilisé au moins trois formes d'intelligence dans la présentation				
A relevé les défis en terminant ce travail				

Rencontre d'évaluation coopérative

La rencontre d'évaluation coopérative, conçue par Rieneke Zessoules et Steve Seidel pour Arts PROPEL, est en fait un dialogue entre l'élève et son enseignante ou son enseignant, portant sur un de ses travaux majeurs. C'est une façon de démocratiser le processus de l'évaluation en accordant au principal intéressé, l'élève, la chance de donner son avis sur les critères d'évaluation et, une fois le travail terminé, de vérifier s'il croit avoir répondu à ces mêmes critères. L'idée qui sous-tend ces rencontres est la suivante : les travaux sérieux des élèves méritent une attention et une réponse sérieuses de la part des enseignants. La rencontre d'évaluation coopérative revêt deux aspects : d'abord, elle vise à fixer les critères d'évaluation pour les travaux de l'élève et, ensuite, elle permet de vérifier en profondeur l'efficacité de ces travaux.

Fixer des critères d'évaluation

Avant que les élèves s'attellent à une tâche ou à un projet d'envergure, l'enseignante ou l'enseignant et les élèves doivent discuter ensemble d'évaluation. Cette rencontre durera entre dix et trente minutes. Elle a pour but de fixer les critères d'évaluation du travail de l'élève. Pendant que les élèves discutent de ce que pourrait être l'évaluation, l'enseignante ou l'enseignant devrait écrire la liste des critères suggérés au tableau. Il est important de s'assurer qu'ils s'appliquent à la fois au contenu et au développement des habiletés. Par exemple, on pourrait exiger que le projet démontre clairement qu'un important concept a bien été compris. Un autre critère serait l'obligation de présenter ce concept par un graphique, un tableau ou un diagramme, ou de l'appliquer à une situation réelle de la vie courante.

En fixant d'avance les critères d'évaluation, les élèves reçoivent une ligne directrice pour leur projet. Ils n'ont plus à deviner les attentes de leurs enseignants et ils connaissent exactement leurs responsabilités. Il est souvent utile de leur présenter des exemples de travaux d'élèves faits par le passé. En voyant comment d'autres ont procédé, ils sont plus en mesure de décider de la direction qu'ils désirent prendre. Plutôt que d'encourager le copiage, ces modèles incitent les élèves à s'inspirer des idées d'autrui pour inventer leurs techniques personnelles de résolution de problèmes. Cette pratique incite à l'effort et améliore souvent la qualité du produit.

Évaluer les travaux des élèves

Lorsque l'élève termine un travail important, on fixe une deuxième rencontre d'évaluation coopérative. Le but de cette rencontre est de commenter la qualité du travail de l'élève, d'évaluer le respect des critères retenus et de définir le soutien pédagogique qui aidera l'élève à poursuivre son projet et à atteindre les objectifs qu'il s'est donnés. Il arrive à l'occasion que d'autres personnes soient invitées à participer à cette seconde rencontre, comme des enseignants, des spécialistes, des parents ou d'autres élèves. Elle peut se faire avec l'élève seul, ou encore devant toute la classe qui observe et participe à l'échange. Avant la tenue de cette rencontre, il est essentiel que l'enseignante ou l'enseignant ait pris le temps de bien examiner le travail de l'élève et de préparer la discussion. De plus, il est important que l'élève prenne activement part à cet échange portant sur le fruit de son travail.

Voici, à l'intention des enseignants, quelques suggestions pour faciliter le déroulement de cette rencontre d'évaluation.

1. Décrivez le produit de l'élève en utilisant des mots simples et sans porter de jugement.
2. Dites ce qui vous impressionne le plus dans ce projet. Mettez l'accent sur la description du produit et non sur les « raisons » qui ont incité l'élève à procéder de cette façon.
3. Notez les questions que vous vous posez lorsque vous regardez, écoutez ou lisez ce travail et partagez-les avec les autres.
4. Vérifiez dans quelle mesure le travail répond aux critères préalablement établis.

Pendant la rencontre, invitez l'élève et les autres participants à donner leur opinion. Vous pouvez le faire en posant des questions comme : « Est-ce que mes commentaires vous ont surpris ? » « Aimeriez-vous ajouter un commentaire ? » « Est-ce que j'ai oublié de regarder certains aspects de votre travail ? »

En terminant cette rencontre d'évaluation coopérative, proposez à l'élève les prochaines étapes de son apprentissage. Bien que l'élève ait terminé ce travail, il est surtout important de faire passer le message que l'apprentissage est un processus continu qui ne s'achève jamais. Vous pourriez insérer les points suivants dans vos commentaires et vos questions.

1. Je crois que ce travail démontre ta force en ____________ et que tu pourrais l'utiliser dans tes autres travaux.
2. Est-ce que ce projet t'a permis de découvrir d'autres intérêts que tu aimerais explorer davantage ?
3. Maintenant que ce projet est terminé, quels sont les éléments qui auraient pu être améliorés ?
4. Qu'est-ce qui t'inciterait à produire des travaux de grande qualité à l'avenir ?
5. Selon toi, sous quelles formes pourraient se présenter tes prochains travaux ?

Avant de se quitter, il est souvent profitable de discuter ensemble du déroulement de la rencontre. Quelles sont les impressions des participants ? Quelles améliorations apporter ? Enfin, il est important de terminer sur une note positive. Des commentaires comme : « Je sais que tu as travaillé très fort pour rassembler toute l'information qui se trouve dans ton projet » et « Je vois que tu as appris beaucoup de choses en créant ce graphique » encouragent l'élève à poursuivre ses efforts.

Portfolios et IM

Le portfolio est un ensemble de travaux de l'élève réunis dans un même document, et ce, dans un but précis. Cette formule gagne en popularité tant au primaire qu'au secondaire. J'ai fait l'expérience de deux types de portfolios : celui qui rassemble tous les travaux de l'élève et qu'on pourrait appeler « le portfolio intégral » et un second, qui réunit seulement des pièces choisies et que je nomme « le portfolio de démonstration ». Dans ce dernier cas, il est important que certaines pièces soient choisies par l'élève et d'autres, par l'enseignante ou l'enseignant.

J'ai également divisé les portfolios par catégories, selon les matières à l'étude. J'ai parfois demandé à mes élèves de s'en tenir à un seul sujet ou à une seule discipline, comme le portfolio scientifique ou le portfolio en écriture. En d'autres circonstances, j'ai travaillé avec des portfolios plus généraux qui rassemblent des travaux faits dans toutes les matières. Peu importe le genre du portfolio, il peut porter sur les travaux d'un semestre, d'une année ou même de plusieurs années.

Je garde les portfolios de mes élèves dans un classeur ou dans une boîte, selon leur dimension. J'y inclus non seulement les travaux de l'élève, mais aussi les rapports d'évaluation de certains travaux, comme les fiches de réflexion personnelle de l'élève et les grilles d'évaluation des pièces choisies.

J'aime utiliser le portfolio, car il présente un double avantage : d'une part, il rassemble les travaux de l'élève et témoigne du progrès accompli et, d'autre part, il offre des outils d'évaluation fort efficaces. Si le portfolio démontre clairement que l'élève s'améliore un peu dans une tâche donnée, il témoigne aussi des progrès importants qui s'opèrent tout au long de l'année scolaire. Lorsque je donne à mes élèves un devoir écrit, je leur demande parfois d'ajouter à leur portfolio leurs premiers brouillons, leur copie corrigée et leur version finale pour témoigner des étapes d'écriture du travail terminé.

J'ai remarqué que, lorsque j'utilise les portfolios aux fins d'évaluation, les élèves cherchent à recevoir des commentaires dans le but d'améliorer leur produit. De la sorte, mes élèves acquièrent le sentiment que leur processus d'apprentissage continu est entre leurs mains. Souvent, les autres méthodes d'évaluation ne parviennent pas à susciter cette importante réflexion chez l'élève.

Dans ma classe à intelligences multiples, j'essaie de faire en sorte que les portfolios regroupent des travaux représentatifs des sept formes d'intelligence. Au cours des années, j'ai fait une liste de ce que pourrait contenir un portfolio. Je vous la présente, car elle saura peut-être inspirer vos élèves lorsqu'ils feront leurs portfolios.

- Toute forme de travaux écrits, y compris les premiers brouillons, les copies corrigées par un pair, celles qui sont corrigées par l'enseignante ou l'enseignant, la version finale (par exemple : écriture créative, travaux de recherche, poésie, rapports)
- Formules, directives, échéanciers
- Travaux de mathématiques, y compris les calculs et la résolution des problèmes
- Dessins, peintures et modèles
- Cartes, graphiques, diagrammes
- Photographies de sculptures, constructions, travaux de couture
- Partitions musicales
- Enregistrement sonore d'interprétations musicales
- Enregistrement audiovisuel de pièces de théâtre, de danses, d'entrevues, d'exposés
- Journal d'apprentissage
- Fiches de réflexion personnelle de l'élève
- Grilles d'évaluation et autres
- Contrats conclus par l'élève
- Énoncés d'objectifs personnels
- Liste des tâches confiées à la classe
- Notes de travaux de recherche
- Travaux faits sur ordinateur (tableurs, bases de données, graphiques, etc.)
- Commentaires des parents ou des pairs

Réflexion personnelle de l'élève

L'un des principaux rôles de l'évaluation est d'enseigner à l'élève à s'autoévaluer. Même de très jeunes enfants peuvent apprendre à réfléchir lorsqu'on les invite à le faire. La réflexion aide l'élève à développer son propre sens critique, à découvrir les forces et les faiblesses de ses travaux et à gérer son processus d'apprentissage. Lorsque je désirais qu'un élève réfléchisse aux travaux qu'il ajouterait à son portfolio ou qu'il en évalue la qualité, j'utilisais les deux questionnaires suivants, intitulés « Fiche de réflexion personnelle » et « Autoévaluation de l'élève ».

Fiche de réflexion personnelle

(pour accompagner un document à joindre au portfolio)

Nom : ______________________ Date : ____________

Titre du document : ______________________________

Description du document : __________________________

____

____

Qu'as-tu appris en travaillant à ce projet ? ______________

____

____

Qu'as-tu appris sur toi-même en travaillant à ce projet ? ________

____

____

Que pourrais-tu faire pour l'améliorer ? __________________

____

____

Quels sont les problèmes ou les défis que tu as rencontrés dans ce projet ?

____

____

Ce travail satisfait-il aux critères établis ? Pourquoi ? Pourquoi pas ? ______

____

____

Dans ce projet, qu'est-ce qui t'incite à pousser plus loin dans cette voie ?

____

____

AUTOÉVALUATION DE L'ÉLÈVE

(pour évaluer une tâche)

Nom : ________________________________ Date : ______________

Tâche : ____

1. Quel était ton objectif ? ______________________________

____

____

2. Dans quelle mesure as-tu atteint ton objectif ? ______________

____

____

3. Quelle est la partie la mieux réussie de ce travail ? __________

____

____

4. Quelles sont les parties qui demandent une amélioration ? ______

____

____

5. Dans ce travail, quelle est la tâche que tu as le moins appréciée ? ______

____

____

6. Qu'as-tu appris sur toi-même en faisant ce travail ? __________

____

____

7. Si tu refaisais ce travail, en quoi serait-il différent ? ________

____

____

8. Quel est le lien entre ce travail et tes autres travaux de la classe ou tes travaux scolaires en général ? ______________

____

____

9. Quel pointage accorderais-tu à ce travail? Pourquoi ? ________

____

____

Évaluation par les pairs : la technique de « l'entre-deux »

Après les exposés de la classe, j'invite toujours mes élèves à exprimer leurs commentaires sur leurs travaux respectifs. On peut leur apprendre à donner des commentaires positifs et à le faire avec tact et diplomatie. Dans ma classe, les commentaires font partie intégrante des activités quotidiennes. En quittant les centres d'apprentissage, mes élèves sont invités à montrer leurs travaux à toute la classe. De façon spontanée, les élèves partagent leurs acquis avec une ou un camarade ou avec un groupe, qu'il s'agisse de lecture, d'écriture, d'œuvres artistiques, de pièces de théâtre, de constructions ou de chansons. Après ce partage, le reste de la classe note les forces et les faiblesses des diverses présentations.

Lorsque l'élève présente son projet personnel devant la classe, la période d'évaluation par les pairs est plus structurée. On lui consacre alors entre 5 et 10 minutes de critique constructive, fondée sur le respect des critères préétablis pour ce travail par les autres élèves et par moi-même.

J'enseigne à mes élèves la technique de « l'entre-deux » pour la critique par les pairs. Elle consiste à placer un commentaire désagréable entre deux commentaires positifs. Par exemple, si l'une de mes élèves, Christine, fait une recherche sur les chevaux arabes, je pourrais lui faire le commentaire suivant en utilisant la technique de « l'entre-deux » : « Christine, j'ai beaucoup aimé ton exposé sur les chevaux arabes. J'ai trouvé cela intéressant parce que j'ignorais que ces chevaux étaient différents des autres. Tu dois améliorer ton contact visuel. Tu gardais les yeux baissés, tandis que j'aurais aimé que tu me regardes. Tes documents visuels étaient formidables, en particulier ce graphique comparant les chevaux arabes aux autres chevaux. Ça m'a permis de comprendre en quoi les chevaux sont différents, selon leur race. »

La nature humaine est ainsi faite que Christine se souviendra de la critique difficile, mais espérons qu'elle se souviendra aussi des commentaires positifs.

Au cours de mes années d'enseignement, j'ai pu constater que la technique de « l'entre-deux » est tout aussi valable que n'importe quelle forme d'évaluation pour inciter l'élève à améliorer son travail. Mes élèves continuent à recevoir et à réagir aux recommandations qui leur sont faites et ne cessent de se bâtir en puisant dans leurs forces personnelles.

Évaluation des projets à long terme de l'élève

Mes élèves produisent huit travaux majeurs par année scolaire. Je voulais vérifier si la qualité de leurs projets s'améliorait avec le temps. Je me demandais s'ils se cantonnaient à une ou deux façons de communiquer leur information, si leur méthode de recherche progressait ou si leurs projets se raffinaient.

J'ai créé la grille suivante pour obtenir cette information. Chacun de mes élèves a sa fiche d'évaluation que j'utilise pour les projets d'exposés mensuels. La fiche est suffisamment robuste pour garder sa forme pendant toute l'année scolaire et je la garde dans mon classeur pour l'avoir sous la main, au besoin. Il m'est arrivé de remettre une fiche vierge à mes élèves pour leur permettre de suivre l'évolution des projets personnels qu'ils feront durant l'année.

Fiche d'évaluation à long terme des projets d'élèves

Nom : ______________________________

PROJETS

Critères Sujets :	1	2	3	4	5	6	7	8	Commentaires
Bonne introduction									
Bonne structure									
Recherche adéquate									
Compréhension des idées principales									
Information pertinente									
Bons exemples et contenu fouillé									
Forte conclusion									
Bonnes techniques de présentation									
Présence de matériel visuel									
Présence de musique									
Présence d'éléments kinesthésiques									
Présence d'éléments interpersonnels									
Présence d'éléments intrapersonnels									
Présence d'éléments logico-mathématiques									
Présence d'éléments linguistiques valables									

Fiche de rapport sur les IM

J'ai modifié non seulement ma méthode d'évaluation quotidienne, mais aussi mes fiches de rapport. Je me suis vite rendu compte que la forme traditionnelle du rapport pédagogique n'arrivait pas à mettre en lumière le travail accompli par mes élèves dans ma classe à IM. J'ai donc créé la fiche de rapport suivante, qui témoigne des efforts de mes élèves. Il s'agit d'un graphique illustrant l'évolution de chaque élève dans les sept formes d'intelligence. J'utilise une couleur différente pour chacune des quatre étapes et je tente de démontrer son degré de développement, soit novice, apprenti(e), praticien(ne) et expert(e), pour chacun des critères.

Si un élève ne fait aucun progrès dans un domaine précis entre les périodes de notation, je trace une ligne verticale pour le démontrer. Mais dans l'ensemble, les élèves progressent continuellement dans tous les domaines au cours de l'année scolaire. Au besoin, j'écris quelques remarques sous chacune des sections. Vous trouverez aussi des suggestions de suivis à la fin de cet ouvrage. Je ferai alors des suggestions aux parents sur la façon de développer davantage les forces de leur enfant et de remédier à ses faiblesses apparentes.

FICHE
DE RAPPPORT
SUR LES
INTELLIGENCES
MULTIPLES
DE

Élève : ______________________________

Fiche de rapport sur les intelligences multiples et indicateurs d'évolution

Nom : ______________________________

	Novice	Apprenti(e)	Praticien(ne)	Expert(e)
Lecture (Intelligence linguistique)				
Écriture et vocabulaire (Intelligence linguistique)				
Sciences et mathématique (Intelligence logico-mathématique)				
Arts visuels (Intelligence visuo-spatiale)				
Mouvement (Intelligence kinesthésique/corporelle)				
Construction (Intelligence kinesthésique/corporelle)				
Talents musicaux (Intelligence musicale)				
Travail d'équipe (Intelligence interpersonnelle)				
Réflexion personnelle (Intelligence intrapersonnelle)				
Recherche (Aptitudes à préparer son projet)				
Présentations (Aptitudes à présenter son projet)				

Novice . . . . .reconnaît les concepts, commence à développer ses aptitudes.
Apprenti(e) . . . . .acquiert graduellement des habiletés plus complexes par des exercices guidés.
Praticien(ne) . . . .travaille de façon autonome, démontre son savoir et ses habiletés.
Expert(e) . . . . . . .maîtrise les concepts et la pratique, les applique à de nouveaux domaines.

(Les barres de couleur indiquent le début d'une pratique dans le domaine et le progrès accompli. Plus la barre est longue, plus il y a de progrès. Un changement de couleur indique le passage à un degré supérieur.)

Enseigner selon la théorie des intelligences multiples

Lorsque les enseignants suivent mes ateliers sur les intelligences multiples, ils me demandent souvent : « Avez-vous des plans de cours ou d'activités que vous pourriez partager avec nous ? » Aujourd'hui, je peux répondre « oui » à cette question, car cette partie du guide offre tout un éventail d'activités pédagogiques portant sur les sujets les plus divers. Cette cinquième partie débute avec l'activité 2, puisque la toute première activité a été présentée dans la deuxième partie de ce guide, à l'occasion de l'initiation des élèves aux intelligences multiples.

CINQUIÈME PARTIE — CONTENU

On peut présenter ces cours de diverses façons. Les élèves peuvent travailler en petits groupes dans les centres d'apprentissage ou l'ensemble de la classe peut suivre les cours en grand groupe au cours d'un enseignement directif. La durée des activités peut aussi varier: certaines peuvent se dérouler en une heure ou en une journée, d'autres peuvent s'étendre tout au long de la semaine ou du mois. Tous ces cours peuvent s'inscrire dans un module ou un enseignement thématique plus large. Par exemple, le cours intitulé « Christophe Colomb » peut s'intégrer dans un module sur « Le temps des explorateurs » ou sur « L'histoire de l'Amérique », dont le thème est « Les découvertes ».

De plus, on peut diviser les diverses sections de ces cours en des douzaines d'activités individuelles favorisant les intelligences multiples de chacun. L'enseignante ou l'enseignant devra déterminer la matière à enseigner et le moment de le faire. Nul n'a l'obligation de suivre l'ordre séquentiel des activités proposées dans ces cours. Ainsi, bien que tous les cours débutent par une activité linguistique, les enseignants peuvent choisir de commencer par des activités kinesthésiques ou visuelles. Ils doivent se sentir tout à fait libres de modifier l'ordre des activités selon leur convenance.

Enfin, il n'est pas essentiel de présenter chaque cours en utilisant systématiquement les sept approches. Les enseignants devraient choisir les activités qui correspondent le mieux à l'enseignement du jour. Toutefois, pour chacun des principaux modules d'étude, il est important d'offrir aux élèves l'occasion d'apprendre à partir des sept intelligences, à un moment ou à un autre de leur apprentissage.

Vous trouverez, en annexe (p. 158), la liste des ouvrages de références cités dans les activités suggérées.

Cours 2 – Les adjectifs

Domaine :	Le langage
Idée de base :	Le bon usage des modificateurs
Principe à enseigner :	Les termes descriptifs améliorent la langue parlée et écrite
Module :	Les parties du discours
Cours précédent :	Les verbes
Cours subséquent :	Les adverbes
Ordres d'enseignement :	De la 3e primaire à la 5e secondaire
Matériel requis :	Papier quadrillé Grandes fiches Cartons et marqueurs de couleur De 5 à 8 grandes feuilles de papier d'emballage Texte écrit comportant de nombreux adjectifs pour l'activité d'évaluation

Activité linguistique

Dressez une liste d'adjectifs au tableau. Proposez aux élèves un sujet et demandez-leur de composer des phrases sur ce sujet en y intégrant les adjectifs écrits au tableau.

Pour les plus jeunes élèves, vous pouvez distribuer le texte d'une histoire comportant des espaces pour écrire les adjectifs de leur choix ou ceux qui sont écrits au tableau.

Activité logico-mathématique

Invitez les élèves à compter le nombre d'adjectifs se trouvant dans un texte quelconque. Il peut être intéressant de demander à un élève expert en écriture de vérifier s'il existe un taux donné d'adjectifs dans certaines parties du discours. (Souvenez-vous qu'on présume ici que les élèves ont étudié le nom et le verbe.) Voici l'exemple d'un tableau destiné à noter les résultats de cet exercice de calcul, pour chaque partie du discours.

	Nombre de noms	Nombre de verbes	Nombre d'adjectifs
paragraphe 1			
paragraphe 2			
paragraphe 3			
paragraphe 4			
paragraphe 5			
paragraphe 6			

Ensuite, les élèves peuvent comparer les chiffres de chaque partie du discours en dessinant un graphique à barres ou un graphique circulaire sur du papier quadrillé ou à l'ordinateur. Voici un exemple de ces graphiques.

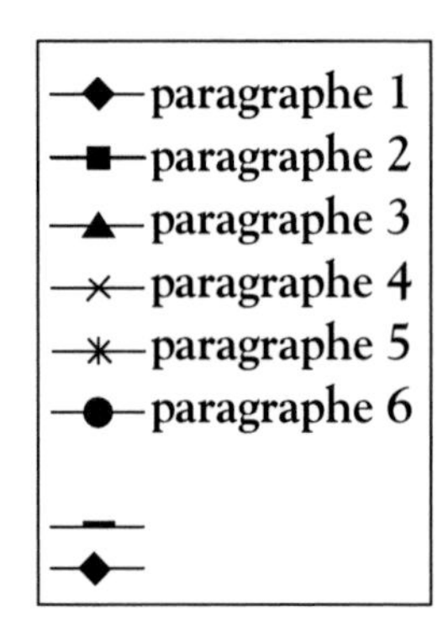

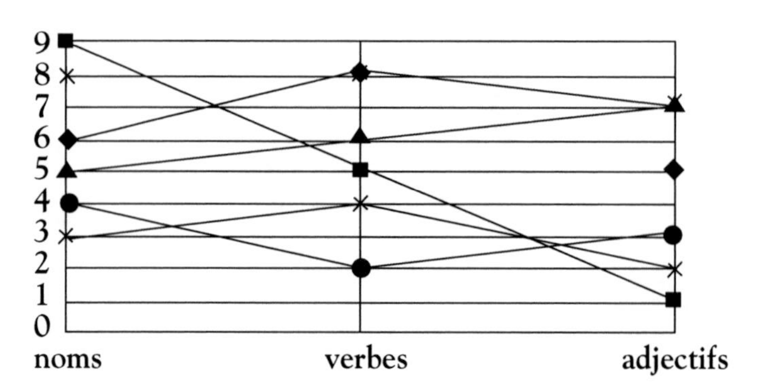

Activité kinesthésique

Pour cette activité, vous devez rédiger une série de phrases et écrire chaque mot sur une grande fiche; les fiches seront placées en avant de la classe. Au début du cours, distribuez plusieurs grandes fiches vierges à chaque élève. Invitez ensuite des volontaires à venir devant la classe, à prendre chacun une carte marquée d'un mot et à former ensemble la phrase. Les élèves qui sont demeurés assis écrivent sur leurs fiches des adjectifs pouvant s'intégrer à la phrase présentée devant la classe. Ils lèvent la main et, lorsqu'on les y invite, viennent en avant pour insérer leur adjectif dans la phrase. D'autres élèves peuvent aussi venir à l'avant, retirer un adjectif, en donnant une petite tape sur l'épaule de l'élève qui le tient, pour le remplacer par un autre. Le même procédé peut s'employer en individuel, mais cette fois l'élève travaille à son bureau avec de petites fiches et un texte en main.

Activité visuo-spatiale

Distribuez aux élèves des crayons, des marqueurs et du papier à dessin. Ensuite, donnez-leur des directives contenant des adjectifs comme :

- Dessinez une ligne large, rouge et sinueuse.
- Dessinez une boîte rectangulaire, petite et multicolore.
- Dessinez un arbre clairsemé, noueux et dénudé.

Une fois les dessins achevés, demandez aux élèves d'écrire à côté de chaque objet les adjectifs correspondants.

Activité musicale

Trouvez une chanson que les élèves connaissent bien et changez le texte en remplaçant les adjectifs. *Le petit renne au nez rouge* se prêterait bien à cette activité avec les jeunes enfants. Vous pouvez inviter les élèves au hasard pour qu'ils insèrent l'adjectif de leur choix, au moment approprié, dans la chanson.

Activité interpersonnelle

Les élèves se divisent en groupes de quatre ou cinq. Chaque groupe se choisit une mascotte et la décrit en utilisant quatre ou cinq adjectifs. Ensuite, les élèves illustrent leur mascotte sur du papier d'emballage. Chaque élève a la responsabilité d'illustrer le qualificatif qu'il ou elle aura suggéré.

Par exemple, un groupe peut choisir comme mascotte un extra-terrestre et lui attribuer les qualificatifs vert, mince, édenté, laid et souriant. Les élèves dessinent ensuite leur extra-terrestre vert, mince, édenté, laid et souriant ; chaque élève a pour tâche de colorier la partie du dessin illustrant le qualificatif qu'il ou elle a proposé.

Ensuite, tous les dessins sont exposés devant le grand groupe, et les élèves tentent de trouver les adjectifs illustrés par chaque mascotte.

Activité intrapersonnelle

Afin de favoriser une plus grande conscience de soi, les élèves dressent une liste de leurs qualités personnelles ou se décrivent dans un texte narratif.

Pour pousser la démarche un peu plus loin, vous pouvez inviter les élèves, chacun à son tour, à expliquer pourquoi ils ont choisi ces adjectifs. Par exemple : *Je suis triste. La raison pour laquelle je suis triste est que mon chien est mort la semaine dernière et que je m'ennuie de lui. Je suis aussi une personne responsable. Je dis que je suis responsable parce que j'aime accomplir mes tâches sans qu'on me le demande.*

Évaluation

Sur un texte choisi, les élèves soulignent les adjectifs à l'aide d'un marqueur de couleur. Puis, ils échangent leur texte avec un ou une camarade de classe et corrigent mutuellement leurs erreurs avec un marqueur d'une autre couleur.

Cours 3 – Le magnétisme

Domaine :	Les sciences
Idée de base :	Les forces de la nature
Principe à enseigner :	Les champs magnétiques sont le résultat des forces d'attraction et de répulsion
Module :	La physique : électricité et magnétisme
Cours précédent :	La gravité
Cours subséquent :	L'électricité
Ordres d'enseignement :	De la 3e primaire à la 3e secondaire
Matériel requis :	Information écrite sur les aimants et le magnétisme Aimants de différentes formes et grandeurs Trombones, punaises et clous Limaille de fer Une ou plusieurs petites balances postales Instruments à percussion Optionnel : petites boîtes, fil métallique, boussoles

Activité linguistique

Dans une encyclopédie ou un livre provenant de la bibliothèque, les élèves lisent des textes portant sur le magnétisme et les aimants. On y trouve des textes descriptifs et des illustrations du champ magnétique provenant d'aimants de toutes sortes. Après lecture des textes choisis, les élèves tentent de répondre aux questions suivantes :

- Comment se fabrique un aimant ?
- Comment fonctionne un aimant ?
- D'où provient le magnétisme ?
- Comment emploie-t-on les aimants de formes diverses ?

Activité logico-mathématique

Les élèves utilisent des aimants de tailles et de formes diverses pour attraper des trombones ou autres objets magnétiques. Vous pouvez leur demander de calculer combien d'objets chaque aimant peut retenir et d'inscrire les résultats obtenus. Une variante consiste à demander aux élèves de peser, sur une petite balance postale, le poids total des objets et de comparer leurs résultats. Ils peuvent aussi faire l'expérience de l'aimant avec d'autres objets, comme les clous et les punaises, et vérifier si la force magnétique varie selon l'objet attiré.

Activité kinesthésique

Invitez les élèves à simplement s'amuser avec les aimants pour observer leurs forces et leurs caractéristiques. Demandez-leur ensuite de les observer plus attentivement afin de déterminer quels objets ont du magnétisme.

Plusieurs livres de sciences proposent une excellente activité qui consiste à amener l'élève à créer ses propres aimants, ce qui lui permet de constater les propriétés magnétiques de l'électricité. Vous pouvez montrer à vos élèves à fabriquer un aimant. Enroulez du fil métallique autour d'une petite boîte une dizaine de fois environ, pour en faire un rouleau. Enlevez ensuite le revêtement plastique qui couvre les bouts du fil métallique et branchez les bouts aux bornes d'une batterie de piles sèches. Placez une boussole à l'intérieur de la boîte et tournez la boîte de sorte que l'aiguille de la boussole s'oriente vers le fil métallique. Observez les mouvements de l'aiguille de la boussole.

Inverser les bouts du fil branché sur la pile ou enrouler plus de fil métallique sur la boîte produisent d'autres effets observables. Si les bouts du fil sont branchés et débranchés à la bonne vitesse en intervertissant les bornes, l'aiguille de la boussole peut s'emballer. Vous pouvez demander aux élèves d'expliquer les divers phénomènes observés.

Activité visuo-spatiale

Réunis en petits groupes, les élèves peuvent reconstituer le champ magnétique d'une barre aimantée en plaçant un aimant de fer sous une feuille de papier blanc et en saupoudrant sur le papier de la limaille de fer. En tapotant doucement sur le papier, la limaille s'éloignera des pôles magnétiques et, ce faisant, formera sur le papier une structure précise. Vous pouvez demander aux élèves de dessiner cette forme avec un crayon ou un fusain et d'expliquer le phénomène.

Variante : les élèves placent deux barres aimantées sous le papier et observent les diverses structures formées par la limaille, selon l'attraction ou la répulsion des pôles de ces deux aimants. Ils peuvent dessiner ces structures et indiquer les pôles magnétiques par les lettres N et N, lorsqu'ils sont identiques, ou N et S, s'ils sont différents.

Activité musicale

Les élèves forment de petits groupes et reçoivent des instruments à percussion comme des tambours, des tambourins, des bâtons. Demandez-leur de composer une mélodie attrayante et une autre, repoussante. Une mélodie attrayante peut comporter deux instruments (ou deux groupes d'instruments) qui alternent. Une mélodie repoussante peut vouloir dire que tous les instruments jouent en même temps, dans le chaos. Ou encore, un rythme attrayant peut comprendre un jeu d'écho (quelqu'un donne la mesure et les autres l'imitent), alors que les rythmes repoussants peuvent être des rythmes dissemblables.

Activité interpersonnelle

Demandez aux élèves de se tenir debout deux par deux, les bras croisés sur la poitrine, pour mimer les aimants et leur champ magnétique. Vous pouvez lancer au hasard des directives comme :

> Vous êtes tous les deux des aimants.
>
> Vos bras sont le pôle positif et votre dos, le pôle négatif.
>
> Il n'y a pas de champ magnétique jusqu'à ce que je dise : « *Ouvert* ».
>
> Placez-vous face à face à une distance d'environ un mètre l'un de l'autre : « *Ouvert* » .... « *Fermé* ».
>
> Il y en a un qui fait demi-tour de façon que vous soyez face à dos : « *Ouvert* » .... « *Fermé* ».
>
> L'autre se tourne maintenant pour que vous soyez dos à dos : « *Ouvert* » .... « *Fermé* ».

Vous pouvez continuer à donner des directives de cet ordre jusqu'à ce que les élèves comprennent le principe. Vous pouvez varier en utilisant *haut-bas*, *lent-rapide*, *doux-emballé*, *petit-grand* ou d'autres éléments du mouvement. En y ajoutant de la musique, l'activité peut passer d'un mouvement magnétique créatif à une danse entre aimants.

Activité intrapersonnelle

Invitez les élèves à écrire dans leur journal sur le phénomène du « magnétisme » dans leur vie. Suggérez-leur de commencer avec des phrases comme ce qui suit :

> Ce qui m'attire, c'est ________________
>
> Ce qui me déplaît, c'est ________________
>
> Ce qui m'attire, c'est ________________
>
> Ce qui me déplaît, c'est ________________
>
> Ce qui m'attire, c'est ________________
>
> Ce qui me déplaît, c'est ________________

Évaluation

Distribuez aux élèves des aimants, de la limaille et d'autres objets magnétiques et non magnétiques. Demandez-leur de démontrer leur compréhension du magnétisme et d'en illustrer les principes en créant leur propre expérience. Ils peuvent travailler seuls ou en petits groupes pour faire la démonstration du phénomène et en donner l'explication.

Cours 4 – L'addition des fractions

Domaine :	Les mathématiques
Idée de base :	Les mathématiques comportent les nombres et les parties du nombre
Principe à enseigner :	On peut combiner les parties d'un tout
Module :	Les fractions
Cours précédent :	Les dénominateurs communs
Cours subséquent :	La soustraction des fractions
Ordres d'enseignement :	De la 4e à la 6e primaire
Matériel requis :	Photocopies des histoires portant sur les fractions (pour l'activité linguistique) Feuilles de musique Fèves ou autres objets à manipuler Un carton par élève

Activité linguistique

Distribuez aux élèves les deux histoires suivantes portant sur les fractions. Demandez-leur d'illustrer les images qu'elles contiennent.

Tout à coup, Maria s'est retrouvée dans un champ de fractions. Il y avait dans ce champ une demi-maison, les deux tiers d'une montagne, le quart d'un arbre. Même les animaux étaient fractionnés. Elle a vu un chien qui n'avait que les trois quarts de ses pattes et un éléphant, les quatre cinquièmes de sa trompe. Le plus étrange était cet oiseau qui n'avait que la moitié de ses ailes, c'est-à-dire une seule aile, et qui ne cessait de faire des cercles en volant.

Le très vieux train a lentement gravi la montagne. Il lui fallait parcourir 326 kilomètres pour atteindre le sommet. Trois heures plus tard, le train a passé la ligne marquant la mi-chemin du trajet ; alors, le conducteur savait qu'il lui restait encore la moitié de la route à faire avant d'arriver tout en haut. Mais voilà que la montagne se faisait plus abrupte, et le train a ralenti encore davantage. Trois heures plus tard, le train a traversé la ligne qui indiquait la mi-chemin à partir de la dernière ligne de marquage. À quelle distance le train se trouve-t-il du sommet de la montagne ?

Une fois que les élèves ont lu ces histoires et les ont illustrées, demandez-leur d'inventer leurs propres histoires et problèmes ou devinettes portant sur les fractions.

Activité logico-mathématique

Demandez aux élèves de faire semblant d'être des auteurs de livres de mathématiques ; ils doivent créer, dans leurs propres mots, des formules pour additionner des fractions et fournir des exemples qui sauront les illustrer.

Activité kinesthésique

Plusieurs objets à manipuler peuvent servir à étudier les fractions : blocs, jetons, fèves, etc. À défaut de ces objets, les enseignants ou les élèves peuvent fabriquer des séries de fractions élémentaires en coupant dans du carton des formes de type « pizza ».

Voici un exemple d'activité à faire. Distribuez 24 fèves à chaque élève. Demandez-leur de les diviser en deux, puis de diviser encore une de ces demies en deux. Ils ont maintenant trois tas, un de 12 fèves et deux de 6. Expliquez-leur que les deux plus petits tas représentent un quart de la somme totale. S'ils additionnent un quart plus un quart, ils auront ____ fèves. Cela équivaut à quelle fraction du total ?

Il existe un merveilleux ensemble d'objets à manipuler pour l'étude des fractions appelé DIVIO. On peut se le procurer à l'adresse suivante : Joyfullearning, P.O. Box 1407, Ferndale, WA, 98248.

Activité visuo-spatiale

Les élèves peuvent se fabriquer des languettes de fractions découpées dans du carton. Chaque élève doit couper cinq languettes de 5 cm sur 30 cm, comme ceci :

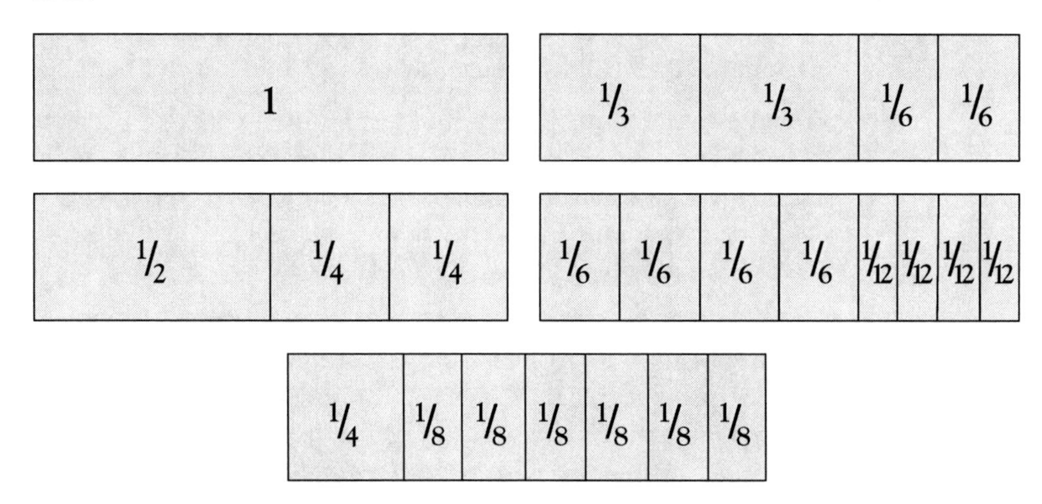

Après avoir marqué les parties de chaque languette, les élèves les découpent pour les fractionner. Ils devraient écrire leur nom au dos de chaque morceau et mettre les morceaux dans une enveloppe pour ne pas les perdre. (Les jeux correspondant à ces languettes sont décrits plus loin, dans l'activité interpersonnelle.)

Activité musicale

L'étude des fractions est l'occasion rêvée d'apprendre à lire la musique. Distribuez des feuilles de musique aux élèves. Enseignez-leur la noire, la blanche et la ronde. Lorsqu'ils connaîtront ces trois symboles, ils pourront évoluer dans le rythme en tapant dans leurs mains ou avec des claves. Une personne peut maintenir un rythme régulier (la ronde) et les autres lui répondre en écho. Ensuite, on passe au rythme à deux temps (la blanche) et à quatre temps (la noire).

Activité interpersonnelle

Voici des jeux pour deux ou quatre joueurs utilisant les languettes de fractions fabriquées lors de l'activité visuo-saptiale.

FAITES DES ENSEMBLES

1. Les joueurs font une seule pile avec toutes leurs languettes de fractions.
2. Tous les joueurs prennent à tour de rôle une languette jusqu'à la dernière.
3. Chaque joueur tente de faire le plus grand nombre possible d'ensembles, en plaçant les pièces sur des bandes qui n'ont pas été découpées.

RASSEMBLEZ DES PAIRES

1. Les joueurs travaillent par deux ; ils font une seule pile avec leurs jeux respectifs de languettes de fractions.
2. Fixez une durée précise (2, 3 ou 4 minutes).
3. Les équipes rassemblent le plus grand nombre de paires possible dans le temps alloué.

PRENEZ-EN DIX

1. Les élèves jouent par groupe de trois ou de quatre.
2. Chaque élève choisit dix languettes de fractions et les met avec celles des autres joueurs.
3. Tout le groupe travaille de concert pour reconstituer le plus d'ensembles possible.

Activité intrapersonnelle

Demandez aux élèves d'écrire leurs activités préférées derrière chacun des morceaux de languette de fractions, par exemple : m'adonner aux jeux vidéo, lire, écouter de la musique, jouer au football, parler au téléphone, manger de la crème glacée, etc. Ensuite, chaque élève juxtapose ses morceaux pour se composer une journée entière d'activités. « L'ensemble d'une journée » ne peut contenir qu'un certain nombre d'éléments ou de « parties ».

Évaluation

Travaillant individuellement ou deux par deux, les élèves rassemblent toutes leurs languettes de fractions. Pour démontrer leur compréhension des fractions, ils recréent les cinq ensembles (ou dix, s'ils sont deux par deux) en rassemblant toutes leurs languettes sur leur bande respective. Pour augmenter le défi, fixez une durée précise. Pour varier, demandez aux élèves de placer les morceaux face cachée et de les rassembler visuellement. Il est important que les enseignants et les élèves sachent qu'il existe plus d'une façon de réaliser correctement cette tâche.

Cours 5 – Christophe Colomb

Domaine :	Les sciences sociales
Idée de base :	L'exploration
Principe à enseigner :	L'exploration a influencé les Premières Nations
Module :	L'histoire de la découverte de l'Amérique
Cours précédent :	Les Américains avant Christophe Colomb
Cours subséquent :	Magellan et les autres explorateurs
Ordres d'enseignement :	De la 3e primaire à la 2e secondaire

Matériel requis :	Film *1492 – Christophe Colomb* Papier d'emballage Carte du monde et projecteur opaque Musique des Caraïbes et d'Europe (*Voir l'activité musicale.*)

Activité linguistique

Nous avons de nombreux ouvrages en sciences sociales qui traitent des voyages de Christophe Colomb, mais presque tous présentent le même point de vue. Pour jeter un regard différent sur l'arrivée de Colomb en Amérique, les enseignants et les élèves pourront visualiser le film *1492 – Christophe Colomb*, source intéressante d'information. Il serait profitable d'amener les élèves à prendre conscience que Christophe Colomb n'était pas seulement un grand explorateur, mais qu'il était aussi un impitoyable conquérant qui s'est approprié la terre des Arawaks et a presque anéanti leur culture. Les élèves pourront lire différentes versions de la vie de Colomb et tenter de les concilier. Pourquoi fait-on généralement un héros de Christophe Colomb ? Quelle est sa contribution ? Comment les choses auraient-elles évolué sans lui ? Quelles ont été les conséquences de ses gestes sur la vie des Indiens d'Amérique ?

Activité logico-mathématique

En étudiant les voyages de Colomb sur l'océan Atlantique, les élèves ont l'occasion d'étudier les cartes géographiques et leurs échelles, de même que les problèmes mathématiques portant sur la « distance = taux × durée ». Donnez à vos élèves l'information suivante :

- Colomb a parcouru plus de 6 400 kilomètres.
- Il a traversé l'Atlantique en 36 jours pour l'aller et en 58 jours pour le retour.
- Son navire avait une longueur de 24 mètres et transportait seulement 40 hommes.
- Les transatlantiques d'aujourd'hui ont souvent plus de 300 mètres de long et peuvent transporter plus de 3000 passagers.

Ces données suffisent largement pour créer des exercices de résolution de problèmes en mathématiques. En voici quelques exemples :

- Si Colomb a quitté les Canaries le 12 août 1492 pour atteindre les Bahamas le 12 octobre, pendant combien de jours a-t-il navigué ?
- Si le Santa Maria a parcouru 6 858 kilomètres en 36 jours, combien de kilomètres a-t-il parcourus en moyenne par jour ?
- Si Colomb a entrepris son voyage avec 90 hommes à bord et que 7 sont morts durant le trajet vers l'Ouest, 15 sont demeurés aux Bahamas, 9 Arawaks ont été amenés sur le navire avant de prendre la direction est, 19 ont disparu lors d'une tempête pendant le voyage de retour et 12 ont déserté dans les Açores, combien d'hommes sont rentrés avec lui au Portugal ?
- Si le Santa Maria mesurait de 24 mètres de long, le Pinta, 21,6 mètres, et le Nina, 20 mètres, et qu'en les attachant les uns aux autres les trois navires faisaient toute la longueur d'un quai, quelle serait la longueur du quai ?
- Si on attachait aux trois navires de Colomb un transatlantique moderne de 308 mètres, quelle serait la longueur combinée des quatre navires ?

Activité kinesthésique

Les élèves font une représentation simulant l'arrivée de Colomb dans les Caraïbes. Certains jouent le rôle de Colomb et de ses compagnons, d'autres interprètent le rôle des Arawaks qui les accueillent.

Activité visuo-spatiale

Les élèves peuvent créer une murale représentant une carte du monde. Ils peuvent utiliser des feuilles de papier d'emballage collées ensemble sur un mur de la classe. La façon la plus simple de procéder est d'utiliser un projecteur afin de projeter sur le papier une carte du monde pour que les élèves puissent tracer le contour des continents.

Choisissez des éléments que les élèves pourront ensuite colorier : les chaînes de montagnes, les pays, les fleuves, les villes, les lieux historiques, le lieu d'origine de chaque élève de la classe ou de ses ancêtres, le voyage de Christophe Colomb. Cette carte peut servir de document de travail ; il suffit d'y ajouter de nouveaux éléments au fur et à mesure que vous entreprendrez d'autres modules.

Activité musicale

Les élèves peuvent écouter de la musique d'époque en provenance des deux cultures. À la fin du XVe et au début du XVIe siècle, la musique européenne avait surtout un caractère religieux. Le chant grégorien constituait encore le principal genre de musique, les madrigaux faisaient leur apparition et les compositions pour instruments à cordes, comme le luth, étaient fort populaires. Il est facile de se procurer ce genre de musique. Palestrina est l'un des premiers compositeurs de madrigaux.

On connaît moins le genre de musique prévalant dans les Caraïbes aux XVe et XVIe siècles, mais il est probable que les jeux de batterie moderne sont une réminiscence de ces temps et de ces lieux.

Demandez aux élèves d'écouter les pièces choisies et de réfléchir aux questions suivantes :

- À quoi vous fait penser chacune de ces musiques ?
- Quels sont les instruments utilisés ?
- Ces musiques font-elles surgir en vous des images liées à diverses cultures ? Si oui, lesquelles ? Comment pouvez-vous savoir si vos impressions sont justes ?
- Quelles sensations ces différentes musiques évoquent-elles ?

Activité interpersonnelle

En groupe de quatre à six personnes, les élèves discutent d'un plan de cohabitation pacifique de deux cultures. Ils peuvent examiner une situation hypothétique comme celle de deux cultures fictives, ou la situation de deux cultures contemporaines ou encore des cultures amérindienne et européenne.

Le groupe peut répondre aux questions suivantes :

- Est-ce qu'un groupe culturel doit prendre la direction pour établir une culture mixte ?
- La nouvelle culture devrait-elle être un mélange de deux cultures séparées ou bien une culture mixte véritable ?
- Que doit-on garder des différentes caractérisques de chaque culture ?
- Quelles seraient les qualités ou caractéristiques communes à maintenir dans cette nouvelle culture mixte ?
- Qu'est-ce que chacune de ces cultures devrait accepter de sacrifier ?
- Comment devrait-on établir une forme de gouvernement ?
- Comment peut-on créer une culture mixte sans risquer de tomber dans la dictature ?
- Qui a le droit de décider quels éléments seront gardés et lesquels seront abandonnés pour chacune des cultures ?

Activité intrapersonnelle

Les élèves répondent par écrit à la question suivante : Si vous étiez Christophe Colomb ou le chef du peuple Arawak, comment auriez-vous réagi à l'arrivée des Européens ?

Évaluation

Les élèves peuvent démontrer leur compréhension de cette question complexe entourant l'arrivée de Colomb en Amérique en traçant un parallèle entre deux cultures modernes, deux sous-cultures, deux groupes, ou même deux personnes qui s'affrontent tous les jours. Les élèves peuvent écrire ou présenter dans une simulation l'arrivée d'une nouvelle famille dans le quartier, d'un nouvel élève dans la classe, ou encore une situation internationale conflictuelle qui se passe aujourd'hui. Ils devront traiter des ressemblances et des différences de cette situation avec l'arrivée de Colomb en Amérique. Ils devront aussi tenter de prévoir l'évolution de ces relations.

Cours 6 – Les baleines

Domaine :	Les sciences
Idée de base :	Les divers habitats
Principe à enseigner :	Les mammifères marins vivent dans l'eau, mais ont besoin d'air pour respirer
Module :	Les mammifères
Cours précédent :	Les mammifères terriens
Cours subséquent :	Le dauphin, le marsouin, le phoque, etc.
Ordres d'enseignement :	De la maternelle à la 2e secondaire
Matériel requis :	Film *La grenouille et la baleine* de J.-C. Lord, ou le roman du même titre. Ouvrage « Le livre des dauphins et des baleines » Grandes feuilles et journaux Bande sonore du chant des baleines Craies de couleur Matériel nécessaire pour la fabrication d'un livre

On peut débuter le cours en visualisant le film *La grenouille et la baleine*, que les enfants adorent ou en lisant le roman.

Activité linguistique

Le groupe peut faire un résumé oral ou écrit du film visionné.

On peut trouver dans la plupart des bibliothèques d'école des livres sur les baleines et les mammifères marins. Si le niveau de lecture des élèves le permet, ces derniers peuvent faire une recherche en vue de répertorier les livres portant sur les baleines et faire un résumé expliquant la variété des baleines, comment elles vivent et respirent dans l'océan. Si les élèves n'ont pas atteint ce niveau de lecture, l'enseignante ou l'enseignant peut donner un bref exposé appuyé d'éléments visuels pour expliquer la vie des baleines. Ensuite, les élèves dessinent la baleine, marque les différentes parties du corps et explique, par une présentation orale et par des illustrations, le mode de vie et le système respiratoire de la baleine.

Activité logico-mathématique

Les élèves peuvent découvrir la vie des baleines par une approche quantitative. Il existe des informations tout à fait fascinantes sur la taille de la baleine (la baleine bleue peut atteindre une longueur de 30 mètres), son poids, la quantité de nourriture dont elle a besoin, la température de l'eau où elle habite, la profondeur à laquelle elle peut nager dans l'océan, le temps qu'elle peut passer sous l'eau sans respirer. Les élèves peuvent créer des graphiques pour établir les contrastes et les comparaisons entre les diverses espèces de baleines.

Une autre activité consiste à créer des histoires avec les données se rapportant aux baleines. Les exercices de mathématique peuvent être très simples ou constituer des résolutions de problèmes plus complexes. En voici des exemples :

- Lorsque 5 baleines rencontrent 3 baleines, combien y a-t-il de baleines ?
- Si une baleine dévore 225 kilogrammes de krill par jour, combien en mangera-t-elle en une semaine ?
- Si la température de l'océan en surface est de 13 °C et qu'elle chute de -10,5 °C tous les 22,5 mètres, quelle sera la température si une baleine à bosse plonge à 382,5 mètres ?
- Pourquoi les baleines échouées meurent-elles, alors qu'elles peuvent respirer de l'air ? (La réponse porte sur la gravité, l'incapacité de flotter, la pression sur les poumons.)

Activité kinesthésique

Bien des jeux peuvent s'adapter au thème de la baleine. Le jeu « Des baleines dans l'océan » peut se faire à l'extérieur ou dans un gymnase. Les élèves forment une ligne à une extrémité de la salle ou du terrain de jeux. Une personne est choisie pour faire la chasse à la baleine. Chaque élève décide d'appartenir à l'une des quatre familles de la baleine (cachalot, baleine à bosse, épaulard, rorqual). Le chasseur de baleine appelle au hasard l'une des quatre familles et les joueurs qui appartiennent à cette famille courent vers l'autre extrémité du terrain de jeux en essayant d'éviter d'être touchés par le chasseur. Ceux qui sont touchés deviennent eux aussi des chasseurs de baleines. Si le premier chasseur appelle « Les baleines de l'océan », tous les joueurs doivent courir. Le dernier joueur à être attrapé devient le nouveau chasseur de baleines et le jeu reprend au début.

Comme activité intérieure, les élèves peuvent fabriquer une baleine géante qui sera suspendue dans la classe ou dans le corridor. Une classe a déjà créé un épaulard de 7,5 mètres de long en collant ensemble des feuilles de papier d'emballage sur lesquelles les élèves ont tracé la baleine ; ils ont ensuite coupé deux pièces identiques qu'ils ont peintes en blanc et noir pour illustrer l'épaulard, puis ils ont collé ou broché ensemble les deux extrémités et rempli le centre de vieux journaux pour lui donner sa forme. L'œuvre collective est demeurée suspendue dans la bibliothèque de l'école jusqu'à la fin de l'année scolaire.

Activité visuo-spatiale

Pour véritablement « voir » la taille d'une baleine bleue, les élèves peuvent en dessiner une sur le pavé de la cour de l'école, dans l'entrée ou dans l'aire de stationnement. Utilisez de la craie qui s'estompe à la première pluie. Laissez-les dessiner le contour d'une baleine bleue de 30 mètres et ses différentes parties comme l'épine dorsale, les évents, les fanons, dont ils pourront marquer le nom. Une baleine bleue produite par des élèves de 2e primaire a fait la une d'un journal local.

Si ce genre de projets ne convient pas, vous pouvez demander aux élèves de dessiner un graphique à l'échelle représentant la taille des diverses baleines. Vous trouverez des dessins semblables dans la plupart des encyclopédies et dans les ouvrages traitant du sujet.

Activité musicale

Il existe sur le marché plusieurs cassettes et disques compacts où est enregistré le chant des baleines à bosse. Certains offrent la pureté naturelle des sons de la baleine, comme la bande sonore du film « La grenouille et la baleine ». D'autres, comme « Whales and Nightingales » de Judy Collins, combinent le chant des baleines et la musique instrumentrale.

Les élèves peuvent écouter cette musique en y cherchant des sonorités ou des structures précises. Ils peuvent aussi l'écouter pour la détente, ou encore comme musique de fond pendant les autres activités de la classe.

Activité interpersonnelle

Réunis en groupe de quatre ou cinq personnes, les élèves fabriquent un livre sur les baleines en ayant recours à la recherche, à l'art et à l'écriture. Les élèves à l'intérieur d'un groupe se partagent les tâches liées à la recherche, à l'écriture, à l'illustration, à la mise en page, à la reliure et à la conception de la couverture. La réalisation de ce projet peut demander une ou deux semaines pour la planification, la préparation et la fabrication du livre sur les baleines.

Activité intrapersonnelle

Les élèves écrivent leur propre histoire en commençant par *Si j'étais une baleine, je serais un ou une*__________(type de baleine). Ils choisissent le type de baleine qu'ils préfèrent et expliquent leur choix. Ils répondent à certaines des questions qui suivent :

- Quelle est ta taille ?
- Quel est ton poids approximatif ?
- Que manges-tu ?
- À quoi ressembles-tu ?
- Où vis-tu et où voyages-tu ?
- Combien de temps peux-tu rester sous l'eau ?
- Quel est le plus grand danger qui te menace ?
- Aimerais-tu vivre en captivité et donner des spectacles ?
- Qu'est-ce que ton mode de vie a d'unique ?
- En quoi es-tu semblable et différente des autres baleines ?
- Quelles sont tes plus grandes peurs et inquiétudes ?

Évaluation

Vous pouvez faire votre évaluation à partir des activités interpersonnelles et intrapersonnelles.

Cours 7 – Benjamin Franklin

Domaine :	Les sciences sociales
Idée de base :	La démocratie
Principe à enseigner :	La liberté de parole est un droit fondamental en Amérique
Module :	Le colonianisme américain
Cours précédent :	Thomas Jefferson
Cours subséquent :	Les causes de la révolution américaine
Ordres d'enseignement :	De la 4ᵉ primaire à la 3ᵉ secondaire
Matériel requis :	Ouvrages de référence sur Benjamin Franklin Exemples de bandes dessinées à caractère politique Outils pour le journal personnel
Possibilité d'activité sur le terrain :	Visite d'une imprimerie ou d'un journal de quartier

Activité linguistique

Fait intéressant à communiquer aux élèves, Benjamin Franklin n'était pas seulement un homme d'État et un brillant défenseur de la démocratie, mais il était aussi connu comme inventeur, auteur, bédéiste politique, éditeur, scientifique, diplomate et jardinier. Toutes ses activités et, pour tout dire, sa vie même ont été un modèle exemplaire de liberté d'expression. Cette liberté d'expression, elle s'est manifestée dans ce gouvernement que Franklin a contribué à mettre sur pied et auquel il a cru profondément ; elle s'est aussi exprimée dans ses ouvrages prônant la liberté de parole.

Activité logico-mathématique

En tant que scientifique, Benjamin Franklin a inventé une foule d'objets, dont le poêle à bois, les verres à double foyer et le paratonnerre. Il a également découvert l'électricité. Avant de faire une invention, il déterminait d'abord les besoins.

Invitez les élèves à devenir inventeurs en réfléchissant à un besoin et en créant quelque chose pour le combler. On peut songer à une chose fantastique, comme une machine à faire les devoirs ou une machine qui change les couches du bébé ; ou l'on peut réfléchir à une chose plus réaliste, comme une machine à remplacer l'ozone ou un nouveau contenant pour les céréales. Demandez aux élèves, réunis en petits groupes, de suivre les étapes suivantes.

Inventez quelque chose d'utile.

1. Trouvez un besoin à combler chez un ou une camarade ou dans la société en général.
2. Choisissez un ou deux besoins parmi les besoins que le groupe aura trouvés.
3. Faites un remue-méninges pour dresser une liste d'inventions pouvant combler ces besoins.
4. Parmi votre liste, choisissez un besoin et une invention.
5. Créez au moins deux modèles possibles.
6. Évaluez vos modèles et sélectionnez le meilleur.
7. Fabriquez votre invention soit sur papier, avec de la glaise ou autrement.
8. Si cela est possible, construisez un modèle ou un prototype de votre invention.
9. Partagez votre invention avec vos camarades de classe.

Le remue-méninges est l'un des principaux éléments de ce cours. Il touche indirectement le concept de liberté de parole.

Lorsque les élèves se préparent à faire cet exercice, rappelez-leur les règles du remue-méninges :

1. Laissez-vous aller et soyez créatifs. Tout est acceptable !
2. Ne critiquez pas les idées des autres.
3. Notez par écrit *absolument toutes* les suggestions.

Activité kinesthésique

Benjamin Franklin a été un ardent défenseur de la liberté de presse. Il était encore très jeune lorsqu'il a fait l'acquisition d'une imprimerie et il n'a pas tardé à publier un journal. C'était vital pour lui de s'exprimer et d'écrire sur d'importants enjeux politiques. Benjamin Franklin utilisait la presse pour partager ses idées et ses opinions.

Si vous en avez l'occasion, organisez une visite avec vos élèves dans une imprimerie, un journal de quartier ou un musée exposant de vieux journaux pour leur montrer le fonctionnement de l'industrie de la presse écrite et des médias de masse. Ils en tireront un riche enseignement.

Après cette visite, ou en remplacement de cette visite, demandez aux élèves de faire leur propre imprimerie. Les jeunes enfants peuvent utiliser des timbres de caoutchouc ou créer des blocs, ou même faire des impressions avec une pomme de terre. Les plus âgés peuvent utiliser le traitement de texte et l'imprimante pour créer de grands titres, des titres ou autres textes pour le journal de la classe (*voir l'activité interpersonnelle suivante*).

Activité visuo-spatiale

Benjamin Franklin a souvent ajouté des bandes dessinées à saveur politique dans ses journaux. Les élèves peuvent aussi créer leurs propres bédés politiques en se moquant de choses ou de situations qui leur semblent injustes ou inutiles, dans l'école ou dans leur communauté. Une règle à suivre, cependant : les bédés politiques ne doivent jamais se moquer d'une personne (à moins qu'il ne s'agisse d'une personnalité politique du pays). Vous pouvez leur distribuer des bandes dessinées du journal de quartier, à titre d'exemples.

Vous pouvez leur suggérer des bédés montrant un enfant qui est incapable d'atteindre le téléphone dans une cabine téléphonique, une personne qui tente d'enlever l'emballage de plastique d'un produit alimentaire sans outil coupant, une personne transportant une avalanche de boîtes ou un élève rentrant à la maison avec une tonne de devoirs.

Activité musicale

Les élèves travaillent individuellement à noter des renseignements factuels sur des fiches. Un fait par fiche. Pendant ce temps, vous écrivez au tableau le refrain qui suit. Les élèves s'exercent à chanter ou à lire ce refrain. Ensuite, ils lisent leur fiche à tour de rôle. Lorsque les élèves ont lu entre deux et quatre fiches, tout le groupe chante ou lit le refrain ensemble. Les élèves lisent à nouveau d'autres fiches, suivies du refrain, et ainsi de suite.

Boogie Woogie Ben
Avec tes mots, tes bédés, tes articles
T'as libéré l'Amérique
On t'en doit une, vieux Ben

Activité interpersonnelle

Réunie en un grand groupe ou en petits groupes, la classe fabrique son propre journal et lui donne un nom comprenant un mot comme « presse », « journal », « gazette », « revue » ou « informateur ». Les élèves pourront discuter des dérivés de ces mots lorsqu'ils auront à choisir les titres d'articles ; ils pourront aussi réfléchir à l'objectif du journal qui est « d'informer » les gens, de passer en « revue » les événements ou les diverses opinions sur une question donnée. Les élèves doivent comprendre que le journal est un moyen de partager divers points de vue dans une société démocratique.

On peut assigner des rôles de reporters aux élèves pour leur travail au journal. Les équipes de deux fonctionnent très bien pour la couverture de sujets tels que :

Nouvelles de l'école
Annonces
Bédés
Température
Éditoriaux
Sports
Courrier des lecteurs

Nouvelles mondiales
Arts
Chronique « langues étrangères »
Culture – télé
Culture – livres
Culture – cinéma

Activité intrapersonnelle

Benjamin Franklin a fidèlement tenu son journal personnel. En s'inspirant de lui comme modèle, les élèves peuvent commencer à rédiger leur journal personnel. Ces documents peuvent être utilisés en classe de bien des manières, par exemple :

- comme journal confidentiel ou partagé seulement avec l'enseignante ou l'enseignant ;
- comme journal de bord répertoriant les expériences d'apprentissage de tous les jours ;
- pour une écriture créative : histoires sans fin, poèmes, nouvelles ;
- pour la dictée : vous dictez aux élèves une phrase ou deux tous les jours comme exercice d'écriture ;
- comme dialogue écrit entre l'élève et l'enseignante ou l'enseignant ;
- comme dialogue écrit entre deux élèves ;
- pour un court exercice d'écriture quotidien assigné par l'enseignante ou l'enseignant ;
- pour y consigner des citations ou des passages intéressants tirés d'ouvrages ;
- une combinaison de toutes ces possibilités.

Évaluation

Vous pouvez mesurer les connaissances des élèves en leur demandant de faire une composition sur Benjamin Franklin. Ils y mettront une foule de renseignements sur sa vie, son œuvre scientifique, journalistique et politique, et préciseront ce qui leur semble la contribution la plus importante de Benjamin Franklin et en donneront les raisons.

Pour l'évaluation visuelle, les élèves peuvent faire un collage représentant la vie de Franklin, en y insérant les mêmes éléments que dans la composition. Les élèves peuvent y inclure des dessins originaux, des photocopies, des illustrations de magazines ou combiner textes et illustrations.

Cours 8 – L'histoire de Ping

Domaine :	Le langage
Idée de base :	Les aventures dans une fiction peuvent être le reflet de la vie quotidienne
Principe à enseigner :	Les mêmes émotions ont un caractère universel
Module :	La Chine
Cours précédent :	Les fleuves de la Chine
Cours subséquent :	Les personnes qui habitent sur des bateaux
Ordres d'enseignement :	De la maternelle à la 4e primaire
Matériel requis :	Des copies du texte de Marjorie Flack intitulé *Ping, le petit canard chinois* Le matériel nécessaire à la confection d'un jeu de société comme des marqueurs, du papier d'emballage ou des fiches vierges, des dés Musique de Chine ou instruments de musique de la classe

Activité linguistique

Vous pouvez lire aux élèves le texte *Ping, le petit canard chinois* ou les inviter à en faire eux-mêmes la lecture. La plupart des élèves de 2e primaire pourront y arriver seuls. Ensuite, les élèves composent oralement leur propre histoire sur un animal ou une personne qui s'égare et les aventures qui s'ensuivent. Les élèves s'assoient en cercle ; un élève commence l'histoire par une phrase et les autres la continuent à tour de rôle.

Activité logico-mathématique

Dans l'histoire, Ping a une grande famille. Tous les soirs, lorsqu'il était temps de remonter sur le bateau que Ping habitait, on comptait tous les canards. Ce genre d'histoire offre de nombreuses possibilités d'activités de calcul.

Vous pouvez demander à vos élèves :

Nommez des choses dont nous nous tenons au courant en les comptant.

Que faisons-nous lorsque le total est trop bas ?

Comment est apparu le calcul ?

Par ailleurs, les élèves peuvent résoudre des problèmes mathématiques découlant de l'histoire :

- Si 17 canards ont quitté le bateau au matin et que seulement 12 sont rentrés le soir venu, combien de canards manque-t-il ?

- S'il y avait 12 canards et que seulement la moitié d'entre eux ont quitté le bateau, combien sont restés sur le bateau ?
- Si Ping avait 9 frères et 13 sœurs, combien y avait-il de canetons dans sa famille ? (N'oubliez pas de compter Ping.)
- S'il y a 4 familles de canards et 6 canards par famille, combien y a-t-il de canards en tout ?
- Si une famille compte 23 canards et qu'une autre a 32 canards, quelle est la plus grande famille ? Combien a-t-elle de canards en plus ?
- Si un canard s'éloigne de sa famille pour aller vivre ailleurs, quels sont les principaux problèmes qu'il risque de rencontrer ?
- Si l'on vous faisait cadeau de 25 canards, mais que vous ne pouviez en garder qu'un seul, comment feriez-vous pour choisir celui que vous désirez garder et que feriez-vous des autres canards ?

Activité kinesthésique

Cette histoire permet de faire plusieurs activités kinesthésiques. En voici cinq :

1. Vous pouvez amener un canard dans votre classe. Les élèves pourraient observer ses caractéristiques physiques, son comportement, le tenir dans leurs bras, le nourrir et apprendre comment le soigner.
2. Vous pouvez organiser une activité d'observation de canards sur une ferme, dans un zoo ou dans un parc national.
3. Les élèves peuvent sculpter dans la glaise la forme d'un canard, ce que même les tout-petits arrivent à faire.
4. Les élèves fabriquent un *pinata* en forme de canard avec du papier mâché et le remplissent de friandises chinoises et de petits fours horoscope.
5. Pendant la récréation ou les pauses, les élèves peuvent jouer au jeu « Le canard et l'oie » qui ressemble au jeu « Laissez tomber le mouchoir ». Tous les joueurs s'assoient en cercle. Une personne court autour du cercle à l'extérieur en disant : « J'ai un petit canard et il ne t'a pas mordu, il ne t'a pas mordu, il ne t'a pas mordu, mais TOI, il t'a mordu » en touchant un joueur à l'épaule. Celui-ci court à son tour à l'extérieur du cercle et essaie de prendre l'espace libre dans le cercle avant l'autre. Celui qui n'y parvient pas reprend le jeu au début.

Activité visuo-spatiale

Invitez les élèves à tracer une carte des aventures de Ping sur le fleuve Yangtze comme suit :

1. Dessinez, coloriez ou peignez d'abord un fleuve sinueux sur une feuille.
2. Ajoutez-y des bateaux, des animaux sauvages, des personnes et les aventures du canard.
3. Couvrez le fond de la scène avec de l'herbe, des arbres, des maisons, des montagnes, etc.

Activité musicale

L'histoire de *Pierre et le Loup* provient de la pièce symphonique de Prokofiev. Mais pourquoi ne pas faire l'inverse et mettre une histoire en musique ? Il y a deux manières de le faire : les élèves composent une trame sonore pour accompagner la lecture de l'histoire OU ils font jouer une musique préenregistrée qui se marie bien à l'histoire. Une musique chinoise, en particulier une musique classique chinoise, serait tout à fait indiquée. Lorsque les élèves sont à l'aise avec la trame sonore ou l'enregistrement, ils peuvent accompagner ceux qui font la lecture à haute voix pour la classe ou ceux qui présentent leur document visuel devant la classe.

Activité interpersonnelle

Vous pouvez confectionner un jeu de société qui s'inspire du jeu d'échelles et de serpents. Vous pourriez l'intituler le jeu du « Fleuve Yangtze ». Le défi consiste à traverser un fleuve houleux pour revenir sain et sauf à la maison flottante. La route est parsemée de nombreuses punitions et récompenses.

Vous aurez besoin d'un grand carton ou de papier d'emballage. Pour dessiner la maquette du jeu, attachez ensemble avec du ruban adhésif deux marqueurs bleus et tracez deux lignes parallèles, larges et sinueuses, qui s'étendent sur toute la feuille. C'est le fleuve. Divisez ensuite le fleuve en carrés de 2,5 cm pour marquer les progrès des joueurs sur le trajet. Ajoutez des sentiers pour relier les parties sinueuses du fleuve. Il peut s'agir de chutes d'eau qui font glisser vers le bas ou de ponts qui mènent plus haut. Enfin, trouvez les éléments de votre choix pour embellir votre jeu.

De quatre à six joueurs peuvent jouer à ce jeu en même temps ; ils utilisent des dés, des cartes ou une aiguille pour progresser. Afin d'éliminer le problème de la perte des morceaux, le jeu peut comporter un cadran de chiffres ou de couleurs muni d'une aiguille attachée à l'aide d'une attache parisienne.

Si vous désirez en faire plus qu'un simple jeu de hasard, ajoutez une série de cartes proposant des exercices de réflexion ou des jeux de résolution de problèmes. Les joueurs tirent une carte lorsqu'ils se retrouvent à des endroits que vous aurez marqués au préalable, par exemple du mot « Ping ».

Voici des exemples de problèmes destinés à ce jeu.

- Dites aux autres joueurs comment un canard peut échapper à un garçon malveillant qui tente de l'attraper. Avancez de trois cases.
- Nommez un avantage que le canard possède sur les autres animaux et avancez d'une case.
- Dites en quoi la pollution de l'eau est problématique pour Ping. Si le groupe est d'accord avec vous, avancez au pont le plus proche.
- Pourquoi le canard dort-il en cachant son bec dans son dos ? Si vous trouvez la bonne réponse, avancez de trois cases.
- Si un joueur quittait ce jeu comme l'a fait Ping avec ses frères et sœurs, quelles seraient les conséquences de son départ pour les autres joueurs ? Discutez-en avec les autres membres du groupe, puis avancez de deux cases.

Activité intrapersonnelle

Le texte *Ping le petit canard chinois* donne à l'enfant une occasion rêvée de discuter d'un sujet que la plupart d'entre eux craignent et que certains ont vécu — la peur de s'égarer. Vous pouvez diriger un groupe de discussion en demandant :

- Qu'est-ce que ça veut dire « être égaré » ?
- Comment se sent-on ?
- À quelles autres occasions éprouve-t-on les mêmes sentiments ?
- Quelle est la meilleure chose à faire lorsque vous vous égarez ?
- Que pouvez-vous faire pour ne pas vous égarer ?

Après une brève discussion, invitez les élèves à illustrer la peur et la joie.

Évaluation

Une évalution simple consiste à demander à l'élève de raconter l'histoire de Ping à un ou une camarade, à un de ses parents ou à un adulte. La personne choisie remplit un bref questionnaire indiquant si l'élève peut relater les principaux éléments de l'histoire. Par exemple :

- Qui est Ping ?
- Où habite Ping ?
- Qu'est-il arrivé à Ping ?
- L'élève a-t-il ajouté des détails intéressants ?
- L'élève a-t-il raconté l'histoire en respectant l'ordre chronologique des événements ?

Cours 9 – *Les animaux de la ferme* de George Orwell

Domaine :	Le langage et les sciences sociales
Idée de base :	Le totalitarisme
Principe à enseigner :	Les apparences sont parfois trompeuses
Module :	Les types de gouvernement ou de direction
Cours précédent :	Exemples de démocratie
Cours subséquent :	Exemples de monarchie
Ordres d'enseignement :	De la 6e primaire à la 5e secondaire
Matériel requis :	Le livre *Les animaux de la ferme* de George Orwell

Activité linguistique

La fable *Les animaux de la ferme* de George Orwell est habituellement fort appréciée des élèves de la fin du primaire et du secondaire. Il s'agit d'un texte satirique portant sur le communisme. On peut utiliser diverses méthodes de lecture comme première approche. En voici des exemples :

1. L'enseignante ou l'enseignant fait une lecture en classe et les élèves suivent le texte dans leur livre.
2. Les élèves sont réunis en petits groupes et, à tour de rôle, chacun fait la lecture d'une partie du texte.
3. Un adulte enregistre l'histoire sur une cassette en laissant, après chaque page, un espace libre sur la bande pour que l'élève enregistre à son tour la lecture de ce texte. Cette méthode donne de bons résultats auprès des élèves qui ont de la difficulté à lire ; ils peuvent écouter l'histoire, puis s'exercer à lire une page à la fois, à leur propre rythme.
4. Les élèves ont la tâche de lire une partie de l'histoire, puis d'écrire leurs impressions dans leur journal.

Une fois la lecture de l'histoire terminée, les élèves peuvent répondre aux questions suivantes :

1. Quels sont les personnages ?
2. Où se passe l'histoire ?
3. Que veulent les animaux ?
4. Quels sont les événements qui ont mené les porcs à prendre la direction de la ferme ?
5. Comment les autres animaux ont-ils contribué au fonctionnment de la ferme ?
6. Comment Napoléon a-t-il pris le pouvoir ?
7. Une fois Napoléon au pouvoir, quel contrôle les autres animaux avaient-ils sur leur propre vie ?
8. Pourquoi les animaux continuaient-ils à croire en Napoléon ?
9. Qu'est-ce qui empêchait les autres animaux de contester Napoléon et son pouvoir ?
10. Voit-on des événements semblables survenir chez les humains ? Avez-vous des exemples ?

Activité logico-mathématique

Voici un exercice visant à étudier le principe de cause à effet. Demandez aux élèves de faire un graphique montrant comment les actions posées par Napoléon et ses amis ont conduit à la chute des idéaux chers aux animaux. Dans la colonne **Causes**, inscrivez les actions posées par Napoléon et dans la colonne **Effets**, les résultats de ces actions. Invitez ensuite les élèves à discuter si les actions, qui semblent être de bonnes actions, le sont véritablement.

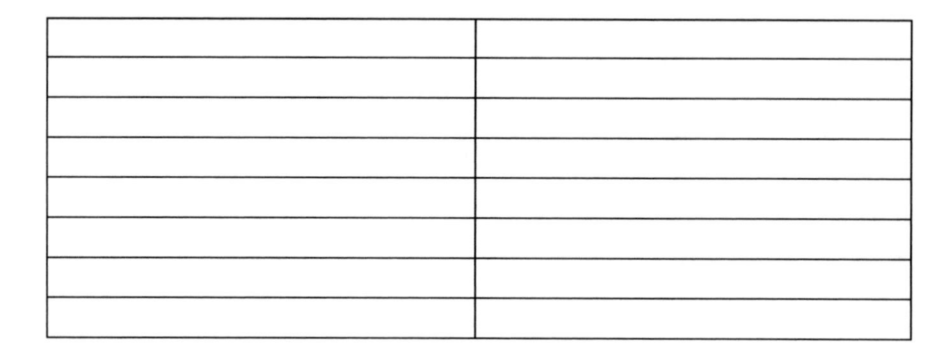

CAUSES	EFFETS

Activité kinesthésique

La fable *Les animaux de la ferme* se prête bien à une représentation théâtrale. Pensons à la scène dans la grange où Napoléon annonce aux animaux qu'il est maintenant au pouvoir. Cette scène pourrait être lue intégralement ou être improvisée. Les élèves peuvent former de petits groupes et répéter leur scène. Ou encore, immédiatement après la lecture d'une scène, vous pouvez inviter des volontaires à venir l'improviser devant la classe.

Activité visuo-spatiale

Les élèves dessinent une carte de la ferme en y incluant :

1. les granges
2. la maison de ferme
3. les champs et les prés
4. le site du moulin à vent
5. les fermes environnantes
6. les routes
7. le site de la bataille

Lorsque la carte est terminée, les élèves indiquent aux endroits appropriés les événements qui s'y sont déroulés.

Activité musicale

Dans *Les animaux de la ferme*, les porcs ont eu recours à des chansons et à des slogans pour imposer leurs idées dans l'esprit des autres animaux de la ferme. Demandez aux élèves de nommer des annonces publicitaires qui cherchent à vendre leurs produits en utilisant des phrases accrocheuses. Ils peuvent étudier les annonces courantes, dresser une liste de textes publicitaires mis en musique, puis composer des textes anti-publicitaires afin de nous convaincre de ne pas acheter ces produits.

Activité interpersonnelle

Réunis en petits groupes, les élèves décident de la formule idéale de gestion de classe ou d'école. Voici des questions qu'ils peuvent se poser pour amorcer l'étape de la planification.

- De quelle façon choisirons-nous les dirigeants ?
- Quelles sont les limites de la personne au pouvoir ?
- Quelles sont les lois fondamentales ?
- Quelles sont les conséquences du non-respect de la loi ?
- Comment procéder pour que tous les élèves participent activement à leur gouvernement ?
- Les jeunes élèves sont-ils responsables d'eux-mêmes ? Pourquoi ?
- À quel âge doivent-ils devenir responsables ? De quoi doivent-ils être responsables ?

Chaque groupe peut partager en grand groupe la forme de gouvernement qu'il préconise et les élèves peuvent peut-être décider d'adopter certains de ces éléments et de les intégrer à la gestion de la classe.

Activité intrapersonnelle

Les élèves peuvent faire une courte rédaction dans laquelle ils répondraient aux questions suivantes :

- Dans *Les animaux de la ferme*, à quel personnage t'es-tu le plus identifié et pourquoi ?
- Quel genre de gouvernement préfères-tu et pourquoi ?
- Quel rôle aimerais-tu jouer au sein du gouvernement et pourquoi ?

Évaluation

Vous pouvez utiliser les graphiques des causes et des effets et les cartes représentant la ferme comme outils d'évaluation.

Cours 10 – La température

Domaine :	Les sciences
Idée de base :	La température influe sur notre vie de plusieurs façons
Principe à enseigner :	Les humains réagissent et tentent de prévoir les changements de température
Module :	L'atmosphère et le climat de la Terre
Cours précédent :	Les climats
Cours subséquent :	La température dans diverses régions géographiques
Ordres d'enseignement :	De la 3e primaire à la 2e secondaire
Matériel requis :	Journaux Thermomètre d'extérieur Musique reliée à la température comme *Les Quatre Saisons* de Vivaldi et *Le Printemps* de Debussy Photocopies des activités visuo-spatiale, interpersonnelle et intrapersonnelle qui seront faites par les élèves dans le présent cours (*voir plus loin*).

Activité linguistique

Distribuez des journaux aux élèves. Ayez soin de choisir des journaux provenant des différentes régions géographiques et atmosphériques et publiés à différentes périodes de l'année. Invitez les élèves à lire les articles portant sur la température et ses conséquences. Discutez des effets de la température sur les gens et comment nous avons appris à nous adapter aux conditions atmosphériques. Vous pouvez écrire les réponses des élèves au tableau ou sur de grandes feuilles affichées au mur de la classe.

Activité logico-mathématique

Placez un thermomètre d'extérieur près d'une fenêtre de la classe ou à tout autre endroit où les élèves peuvent le lire rapidement. Nommez des élèves responsables de noter les températures toutes les heures et tous les jours, durant une période donnée. Demandez à tous les élèves de produire un graphique continu de la température. Ils peuvent même y inscrire certaines données sur les gens, par exemple les vêtements qu'ils portent et ce qu'ils font en raison du climat. Après avoir entré des données sur leur graphique pendant plusieurs semaines, ils seront en mesure de faire des généralisations et des prédictions au sujet de la température.

Activité kinesthésique

Les très jeunes élèves aimeront improviser sur la façon dont les gens réagissent aux changements climatiques. Installez les enfants dans un lieu offrant beaucoup d'espace et lancez des consignes comme :

- Montrez avec votre corps comment vous vous sentez quand il fait plus de 37 °C.
- Montrez comment vous vous sentez lors d'une journée froide et enneigée.
- Montrez comment vous avanceriez sur la glace.
- Montrez comment vous bougeriez s'il y avait une tornade.
- Montrez comment vous réagiriez après le passage de la tornade.
- Montrez comment vous vous sentiriez si vous appreniez qu'il va pleuvoir demain, jour du pique-nique de la classe ou de la sortie en groupe.
- Montrez comment vous avanceriez dans un brouillard épais.
- Montrez ce que vous feriez si, en sortant dehors, vous vous aperceviez qu'il y a 60 centimètres de neige au sol.

Après cet exercice de mouvement en grand groupe, les élèves peuvent former de petits groupes et créer leurs propres jeux de mime devant le reste de la classe. Ils peuvent décrire les vêtements, le mouvement, les activités et les réactions des gens selon la température.

Demandez aux élèves plus âgés de former de petits groupes et de produire une émission de télévision traitant de la température. Chaque membre du groupe a une tâche précise : statistiques, illustrations, annonces, rédaction, expert en météo, caméra vidéo, production. Exigez que les élèves utilisent de véritables données comprenant les quatre éléments (température, pression atmosphérique, vent et humidité), de même que des éléments visuels pertinents. Ils doivent aussi préciser comment les gens réagiront aux divers types de température.

Activité visuo-spatiale

Demandez aux élèves de dessiner individuellement les quatre principaux éléments du climat : la température, la pression atmosphérique, le vent et l'humidité.

Température : le degré de la chaleur atmosphérique	*Pression atmosphérique : la force exercée par l'atmosphère terrestre*
Humidité : le cycle de l'eau vapeur-eau-nuages-pluie	*Vent : le mouvement de l'air suivant une pression haute ou basse*

Les élèves peuvent illustrer d'autres phénomènes climatiques : le cycle de l'eau, les principaux mouvements du vent, les grands mouvements atmosphériques décrits à la télévision dans les rapports météorologiques, la formation des fronts froids et chauds, comment la configuration géographique influe sur le climat, les types de tempêtes, les cartes climatiques illustrant les températures chaudes et froides dans les divers États et pays du monde.

Activité musicale

Les élèves peuvent écouter *Les Quatre Saisons* de Vivaldi ou *Le Printemps* de Debussy, œuvres décrivant différents climats. Ils peuvent écouter l'œuvre au complet ou des pièces choisies et tenter de comprendre comment le compositeur a créé les sons et l'atmosphère propre à chaque climat.

Activité interpersonnelle

La plupart des élèves aiment les jeux de course aux trésors et de défis ; l'activité suivante les initie au vocabulaire relatif à la température. Divisez les élèves en groupes de quatre ou cinq personnes. Distribuez aux groupes une liste de mots tirés du vocabulaire relatif à la température et informez-les qu'ils ont 24 heures pour trouver la définition du plus grand nombre de mots possible. Ils doivent aussi décrire l'incidence de ces phénomènes climatiques sur les personnes. Ils peuvent trouver l'information en consultant le dictionnaire, en questionnant des gens, en téléphonant à la bibliothèque du quartier ou en consultant un universitaire expert en la matière. Pour plus d'efficacité, ils doivent décider ensemble d'un plan de travail avant de commencer l'activité.

Il serait sage de discuter avec eux et d'établir les éléments d'une bonne définition, et ce, avant qu'ils amorcent leur recherche. Donnez-leur des exemples qui les aideront à comprendre ce qu'est une bonne définition et à reconnaître une définition inadéquate. Ils peuvent s'exercer à rédiger une définition et apprendre à paraphraser, et non à copier, les définitions du vocabulaire relatif à la température.

LA CHASSE AUX MOTS :
VOCABULAIRE RELATIF À LA TEMPÉRATURE

air
pression atmosphérique
baromètre
blizzard
chinook
nuage
pluie torrentielle
front froid
cyclone
rosée
zones de basse pression équatoriale
sécheresse
tempête de poussière
brouillard
gelée
grêle

humidité
ouragan
hygromètre
glace
courant-jet
éclair
mousson
nordique
vent dominant de l'ouest
pluie
arc-en-ciel
pluviomètre
tempête de sable
sirocco
grésil
neige

bourrasque
tempête
température
thermomètre
tonnerre
tornade
vent alizé
typhon
vapeur
front chaud
trombe marine
ballon-sonde
météorologique
girouette
tourbillon de vent
vent

Activité intrapersonnelle

Demandez aux élèves de réfléchir à la température en répondant aux questions suivantes :

Quelle température préfères-tu ? Pourquoi ?______________________________

____

Quelle température aimes-tu le moins ? Pourquoi ?________________________

____

Si tu devais choisir entre vivre dans un pays très très chaud ou un pays très très froid, que choisirais-tu ? Pourquoi ?______________________________

____

Comment te sens-tu les jours de pluie ? Pourquoi ?________________________

____

Comment te sens-tu les jours ensoleillés ? Pourquoi ?______________________

____

Comment te sens-tu lorsqu'il neige ? Pourquoi ?__________________________

____

Comment te sens-tu lorsqu'il y a un orage ? Pourquoi ?_____________________

____

Comment te sens-tu lorsqu'il vente ? Pourquoi ?__________________________

____

Si tu devais te comparer à une température, laquelle choisirais-tu ? Pourquoi ?

____

Si tu pouvais être l'un des quatre éléments du climat, lequel serais-tu ? Pourquoi ?____

____

Des scientifiques ont construit un immense dôme en plastique qui est hermétique et dont la température est contrôlée. On y trouve des quartiers d'habitation, des jardins et des aires de jeux. Certaines personnes y ont vécu durant deux ans. Choisirais-tu de vivre dans un environnement dont le climat est entièrement contrôlé ou aimerais-tu mieux vivre dans un climat normal et incertain ? Pourquoi ?____

____

Évaluation

Invitez les élèves à illustrer la signification des mots tirés du vocabulaire relatif à la température et provenant de leur course aux trésors.

Cours 11 – Le printemps

Domaine :	Le langage
Idée de base :	Chaque saison est unique
Principe à enseigner :	La vie est en perpétuelle transformation
Module :	Les saisons et leur raison d'être
Cours précédent :	L'hiver
Cours subséquent :	L'été
Ordres d'enseignement :	De la 3ᵉ à la 6ᵉ primaire
Matériel requis :	Poème *Hymne au printemps*, de Félix Leclerc (voir p. 104) Cartes du ciel Semences et contenants en papier ou nécessaire à jardiner Raisins et cure-dents Photocopies pour les activités musicale et intrapersonnelle

Activité linguistique

Faites une randonnée avec les élèves pour observer les signes de la venue du printemps, puis demandez-leur de lire le poème *Hymne au printemps* de Félix Leclerc et d'autres poèmes chantant le printemps. Donnez aux élèves un vers du poème et demandez-leur de créer les vers suivants. Chaque élève devrait rédiger au moins un poème sur le thème du printemps. Une fois écrits, les poèmes sont lus devant la classe puis rassemblés. Assurez-vous d'avoir un poème de chaque élève ; faites une reliure, puis rassemblez les textes pour en faire un recueil de la classe. Donnez-lui un titre comme *La Classe printanière* ou *Mirages de printemps*.

Activité logico-mathématique

Le printemps est un thème qui se prête bien aux activités de calcul. Demandez aux élèves de calculer en heures et en minutes la durée d'ensoleillement par jour. Ils peuvent puiser cette information dans un almanac ou dans les quotidiens qui divulguent ces renseignements avec précision. Ils peuvent aussi calculer la différence de la durée d'ensoleillement entre deux jours consécutifs, et même cumuler ces données pendant plusieurs jours ou semaines.

Demandez-leur de mesurer la croissance de nouvelles pousses, de branches, de plantes ; faites germer dans une tasse des fèves, des graines de citrouille ou de tournesol et mesurez leur croissance quotidienne. Il est même possible de mesurer la croissance de l'herbe tous les jours.

Une autre activité consiste à comparer le printemps du pôle Nord avec celui du pôle Sud, ou celui de l'hémisphère Nord et celui de l'hémisphère Sud.
Les élèves peuvent faire une recherche pour expliquer le phénomène du changement des saisons sur la Terre. Certains aimeront l'illustrer en fabriquant un modèle réduit.

Activité kinesthésique

Les classes peuvent se transformer en un véritable jardin printanier ! Cultivez votre luzerne en pot ou des légumes et des fleurs de jardin à faire germer dans de petits contenants en papier. Pour la collation, vous aurez des fleurs sur la table et de délicieux goûters. Les légumes racines font de jolies plantes, les patates sucrées, les carottes, les panais, par exemple. Les élèves peuvent tout simplement couper la racine à environ 2,5 cm de haut et la déposer dans un peu d'eau. Le plant créera de nouvelles racines en quelques jours. Le noyau de l'avocat produit rapidement un petit arbre fort mignon ; laissez tremper la moitié du noyau dans l'eau, la partie pointue vers le haut.

Certaines écoles réservent une partie de leur cour extérieure au jardinage. Le cas échéant, demandez qu'une partie du jardin soit recouverte de terre noire. Invitez vos élèves à participer à la planification du jardin ; ils peuvent proposer un budget, sélectionner les semis, planter et soigner les plantes du jardin pour ensuite distribuer la récolte. Dans une école de Los Angeles, des élèves ont fait de leur jardin une entreprise rentable dont les profits ont été versés dans un fonds d'aide financière réservé à ceux et à celles qui poursuivaient des études supérieures.

Activité visuo-spatiale

Distribuez aux élèves des cartes représentant les constellations d'étoiles et relevez celles qui apparaissent au printemps. Les élèves choisissent une ou deux constellations et les reproduisent en utilisant des raisins et des cure-dents. Ils peuvent aussi faire une recherche sur le sujet.

Activité musicale

Partagez avec les élèves le poème de Félix Leclerc, *Hymne au printemps*.

Hymne au printemps

Les blés sont mûrs et la terre est mouillée
Les grands labours dorment sous la gelée,
L'oiseau si beau, hier, s'est envolé ;
La porte est close sur le jardin fané…

Comme un vieux râteau oublié
Sous la neige je vais hiverner,
Photos d'enfants qui courent dans les champs
Seront mes seules joies pour passer le temps ;

Mes cabanes d'oiseaux sont vidées,
Le vent pleure dans ma cheminée
Mais dans mon cœur je m'en vais composer
L'hymne au printemps pour celle qui m'a quitté.

Quand mon amie viendra parla rivière,
Au mois de mai, après le dur hiver,
Je sortirai, bras nus, dans la lumière
Et lui dirai le salut de la terre…

Vois, les fleurs ont recommencé,
Dans l'étable crient les nouveaux-nés,
Viens voir la vieille barrière rouillée
Endimanchée de toiles d'araignée;
Les bourgeons sortent de la mort,
Papillons ont des manteaux d'or,
Près du ruisseau sont alignées les fées
Et les crapauds chantent la liberté
Et les crapauds chantent la liberté…

[Leclerc, Félix, *Cent chansons*, Éditions Archambault]

Ensuite, invitez les élèves à décrire eux-mêmes le printemps en une seule phrase. Réunissez les phrases en des couplets de cinq ou six lignes et insérez un nouveau refrain entre chaque couplet.

La classe aura une chanson dédiée au printemps à réciter en chœur. Chaque élève peut lire la partie de la nouvelle chanson qu'il a composée. Après chaque vers, la classe entame le refrain. Vous découvrirez que cet exercice a du rythme; vous pouvez même enrichir le refrain en y ajoutant une mélodie. Cette chanson peut être adaptée à toutes les saisons.

Activité interpersonnelle

Formez des groupes. Chaque groupe choisit un pays ou une région qu'il désire étudier. L'exercice consiste à découvrir comment on célèbre la venue du printemps dans d'autres cultures et pays. Les élèves peuvent consulter les encyclopédies, les ouvrages en sciences sociales, faire des entrevues avec des personnes d'autres cultures ou utiliser toute source d'information pertinente. Bien que la plupart des cultures modernes n'aient pas de célébration précise pour la venue du printemps, plusieurs tiennent des festivals à caractère religieux, traditionnel ou politique à cette période de l'année. Pâques, le Premier jour de mai, l'ancienne tradition celtique célébrant l'équinoxe sont des rituels de printemps. Une fois la recherche terminée, les groupes partagent leurs découvertes avec toute la classe.

Activité intrapersonnelle

Discutez avec les élèves des changements qu'apporte chaque nouvelle saison. Invitez-les à comparer les changements qui surviennent dans la nature et en eux-mêmes. Vous pouvez vous inspirer des questions suivantes : Les saisons changent ; de quelle façon avez-vous changé et changerez-vous dans le futur ?

Les élèves peuvent ensuite répondre aux questions suivantes dans une écriture poétique.

Avant, j'étais ______________________
Maintenant, je suis ___________________
Demain, je serai _____________________
Avant, j'étais ______________________
Maintenant, je suis ___________________
Demain, je serai _____________________
Avant, j'étais ______________________
Maintenant, je suis ___________________
Demain, je serai _____________________
Mais je resterai toujours ______________

Évaluation

Voici les directives. Faites un collage ayant pour thème le printemps ; utilisez des illustrations et des textes. Vous pouvez dessiner des images ou en découper dans de vieux magazines ou dans des catalogues. Le collage doit représenter au moins un aspect du printemps : les fleurs qui s'épanouissent, le chant des crapauds, la naissance des oisillons, les jours qui s'allongent, les constellations rendues visibles dans l'hémisphère Nord ou la multiplication des fêtes et des festivals à travers le monde.

Cours 12 – *Pi*, le rapport entre le diamètre et la circonférence

Domaine :	Les mathématiques
Idée de base :	Le rapport entre les formes géométriques
Principe à enseigner :	*Pi* est le rapport entre le diamètre et la circonférence d'un cercle
Module :	La mesure
Cours précédent :	Le calcul de la circonférence et de la superficie d'un cercle
Cours subséquent :	La reconnaissance et la mesure d'un véritable cercle
Ordres d'enseignement :	De la 5e primaire à la 5e secondaire
Matériel requis :	Information sur la circonférence et le diamètre Photocopies des problèmes mathématiques tirés des activités logico-mathématique, musicale (chanson) et intrapersonnelle (citation) du présent cours, en nombre suffisant pour toute la classe Beaucoup de ficelle pour chaque groupe de deux Outils géométriques (rapporteurs, règles, compas, gabarits), ciseaux et papier de couleur Instruments de musique simples Cercles en papier d'environ 25 cm de diamètre, un par élève

Activité linguistique

Vous pouvez aborder le principe mathématique *pi* avec les élèves en présentant le rapport entre le diamètre et la circonférence ou en leur demandant de lire un feuillet d'information sur le sujet. Vous trouverez les données nécessaires dans un ouvrage de référence ou une encyclopédie, sous l'entrée « Cercle ». Invitez ensuite les élèves à rédiger un tercet (strophe de trois vers) sur le thème du cercle, du diamètre et de la circonférence.

Activité logico-mathématique

Les élèves peuvent résoudre les problèmes suivants en utilisant les formules mathématiques de la circonférence et du diamètre.

Circonférence = π d	Superficie = πr^2

Le rayon d'un cercle est de 5 centimètres (cm).
   a. Quelle est la circonférence du cercle ? __________
   b. Quelle est la superficie du cercle ? __________

Le rayon d'un cercle est de 12 cm.
   a. Quelle est la circonférence du cercle ? __________
   b. Quelle est la superficie du cercle ? __________

Le diamètre d'un cercle est de 43 mètres (m).
   a. Quelle est la circonférence du cercle ? __________
   b. Quelle est la superficie du cercle ? __________

Le diamètre d'un cercle est de 15 kilomètres.
   a. Quelle est la circonférence du cercle ? __________
   b. Quelle est la superficie du cercle ? __________

La superficie d'un cercle est de 452,16 centimètres carrés.
   a. Quel est le rayon du cercle ? __________
   b. Quelle est la circonférence du cercle ? __________

Lorsque vous aurez répondu à toutes ces questions, créez de nouveaux problèmes à partir des mêmes formules mathématiques.

Activité kinesthésique

Répétez la règle suivante à vos élèves :

La circonférence d'un cercle est toujours équivalente à un peu plus de trois fois son diamètre, peu importe la grandeur du cercle.

Demandez aux élèves de travailler deux par deux ou en petits groupes. Un membre du groupe forme un cercle avec ses bras. Un autre mesure, avec une ficelle, le diamètre et la circonférence du cercle et détermine le rapport entre les deux. Chaque élève doit mesurer au moins trois cercles différents pour vérifier la constance de ce rapport.

On peut prolonger cette activité en demandant aux élèves de trouver une autre façon de faire la démonstration de ce rapport par une activité kinesthésique.

Activité visuo-spatiale

Les élèves créent des œuvres artistiques uniquement à partir de cercles et de lignes droites. Ils auront besoin d'outils géométriques tels que des compas, des rapporteurs, des gabarits, des règles, ainsi que de ciseaux et de papier de couleur. Donnez-leur la consigne suivante : toutes les grandeurs sont permises pour les cercles, mais les lignes droites doivent avoir la même longueur que les circonférences, les diamètres ou les rayons (soit environ 3,14 fois le diamètre).

Activité musicale

Donnez aux élèves des instruments de musique simples et demandez-leur de créer une mélodie d'accompagnement pour la chanson qui suit.

Une chanson qui tourne en rond

Je vois des cercles partout.
Mon vélo a ses deux roues,
Mes yeux sont tout ronds, tout gris,
Et je sais que 3,14… c'est pi.

Le diamètre coupe le cercle en moitiés.
La circonférence ? C'est facile à trouver :
je multiplie le diamètre par 3,14.
C'est pas de la magie ! Je suis un petit génie.

Une autre activité musicale permet aux élèves de faire l'expérience du cercle : chanter des rondes. Lorsque les élèves ont chanté une ronde à plusieurs reprises, ils commencent à comprendre comment la musique peut créer un mouvement circulaire.

Vous pouvez consulter les trois ouvrages suivants où sont répertoriées des rondes populaires : *Vire-vole : carnet de rondes*, *Rondes et chansons* et *Les souliers lilas de mon âne : rondes et chansons du temps qui passe* (voir annexe)

Activité interpersonnelle

Les élèves travaillent deux par deux. Chaque élève reçoit un cercle en papier d'environ 25 cm de diamètre. Une personne fait la lecture des consignes, l'autre prend un cercle et plie le papier selon les directives. Voici les consignes qui lui seront lues.

> Plie le cercle en deux et forme un pli sur la ligne du diamètre.
>
> Plie à nouveau le cercle en deux de façon à former deux rayons perpendiculaires.
>
> Déplie le papier.
>
> Localise l'extrémité des deux diamètres adjacents, joins ces deux points ensemble et forme un pli dans le papier pour obtenir un côté.
>
> Répète la même chose avec les trois autres côtés.
>
> Quelle forme as-tu obtenue ?
>
> Quel est le rapport entre la longueur de chacun des côtés et le cercle ?

Les partenaires changent de rôle et reprennent l'exercice. Ensuite, ils cherchent ensemble combien d'autres formes ils peuvent créer à partir du même cercle. Peuvent-ils faire des triangles, des octogones, des trapèzes ?

Activité intrapersonnelle

Distribuez aux élèves le texte suivant.

(Extrait de l'œuvre de Ralph Waldo Emerson « Circles » – « Les cercles » (traduction libre)

La vie humaine est un cercle en pleine mutation ; de rayon infiniment petit qu'il est à l'origine, il s'éclate dans toutes les directions, créant à l'infini de nouveaux cercles de plus en plus grands. Jusqu'où évoluera cette génération de cercles, cette roue qui n'en est pas une ? Tout dépendra de la force ou de la vérité de l'âme de chacun. Car chaque pensée prend forme dans une spirale de circonstances ; grâce à l'effort qu'elle déploie, elle parvient à se hisser au sommet, à se solidifier et à s'enclaver dans la vie. Mais lorsque l'âme est forte et alerte, elle fait éclater cette frontière et s'élargit pour atteindre une autre orbite située dans ces grandes profondeurs. Cette nouvelle orbite monte à son tour dans une immense vague et cherche à arrêter et à enfermer l'âme. Mais le cœur refuse d'être emprisonné . Dès son tout premier battement, si petit soit-il, il met déjà toute sa force à s'expulser et à s'épanouir, en des mouvements immenses et innombrables.

Après la lecture du texte, les élèves réfléchissent en s'inspirant des questions suivantes et partagent leurs réflexions avec un ou une camarade.

1. De quelle manière la vie est-elle circulaire ?
2. Dans notre vie, comment passe-t-on d'un cercle à l'autre ?
3. Est-ce que nos cercles se superposent l'un à l'autre ?
4. Existe-t-il des cercles familiaux, des cercles d'amis, des cercles nationaux, des cercles culturels ou une évolution humaine ?

Si ce passage est trop difficile pour les élèves, vous pouvez leur présenter le concept de la vie qui s'épanouit comme un cercle qui ne cesse de grandir et en discuter en grand groupe.

Évaluation

Les activités logico-mathématique et kinesthésique de ce cours peuvent servir d'évaluation.

Cours 13 – Les comètes

Domaine :	La science – l'astronomie
Idée de base :	Les comètes sont des objets qui tournent autour du Soleil
Principe à enseigner :	L'univers est rempli de choses fascinantes
Module :	Le système solaire
Cours précédent :	Les planètes
Cours subséquent :	Les astéroïdes
Ordres d'enseignement :	De la 4e primaire à la 3e secondaire

Matériel requis :

Photocopies des activités de ce cours (*plus loin*) pour les approches linguistique, musicale, mathématique, intrapersonnelle et pour l'évaluation
Guimauve (à défaut, du papier déchiqueté fera l'affaire)
Pailles en plastique, bâtonnets ou cure-dents
Ruban ondulé, fil ou ficelle
Ouvrages scientifiques
Papier quadrillé (petit quadrillé)
Fiches
Règles
Ciseaux
Papier de bricolage bleu
Colle blanche en flacon pressable, poudre scintillante or, argent et multicolore ou tout autre matériel d'art
Instruments à percussion ordinaires ou improvisés

Activité linguistique

Vous pouvez faire un court exposé sur les comètes, ou encore demander aux élèves de lire sur le sujet dans leurs livres de sciences ou de prendre connaissance du texte suivant.

Information sur les comètes

Les comètes ressemblent à des étoiles filantes munies d'une queue. Ce sont des amas de glace, de gaz et de poussières. Elles parcourent le système solaire le long d'orbites en forme d'œuf qu'on appelle « ellipses ». Toutes les comètes tournent autour du soleil parce qu'elles sont emprisonnées dans son champ de gravité, tout comme les planètes tournant autour du soleil sont en captivité dans son champ de gravité. Certaines comètes ont une petite orbite et peuvent donc faire le tour du soleil en quelques mois. D'autres mettent des centaines d'années à en faire le tour en raison de leur orbite très allongée.

Au fur et à mesure qu'elles s'approchent du soleil, il se forme derrière elles une queue de plus en plus longue et scintillante atteignant parfois plus de 160 millions de kilomètres de longueur. Comme elles s'approchent du soleil, la chaleur provoque l'évaporation du noyau de glace et l'apparition d'une chevelure autour du noyau. La pression de la lumière solaire pousse alors les petites particules de poussière loin de la chevelure pour former une queue. La lumière de la comète provient indirectement du soleil. Ce que nous voyons, en fait, c'est le reflet de la lumière du soleil sur la chevelure et la queue d'une comète.

La queue d'une comète est toujours en direction opposée au soleil, ce qui la fait onduler au fur et à mesure que l'astre s'approche du soleil. Cependant, lorsque la comète a fini de tourner autour du soleil et qu'elle commence son voyage dans son orbite allongée, c'est la queue qui dirige le noyau de la comète.

La comète de Halley est l'une des comètes les plus connues. Elle nous apparaît environ tous les 77 ans. C'est en 1986 que nous l'avons aperçue la dernière fois, au moment où elle traversait l'orbite de la Terre.

Après cette lecture, les élèves peuvent répondre par écrit aux questions suivantes :

1. Quels mots peuvent décrire la forme de l'orbite de la comète ? [*ellipse, cigare, etc.*]
2. Comment appelle-t-on le centre de la comète ? [*noyau*]
3. Comment appelle-t-on le nuage vaporeux qui entoure le centre de la comète ? [*chevelure*]
4. Comment se forme la queue de la comète ? [*pression de la lumière solaire*]
5. Nommez au moins une comète célèbre. [*Halley, Kohoutek, Bennett*]
6. À quel moment la queue de la comète dirige-t-elle la trajectoire ? [*quand la comète s'éloigne du soleil*]
7. De quelles matières se compose la comète ? [*glace, gaz, poussières*]
8. En quoi les comètes sont-elles semblables aux planètes ? [*elles tournent autour du Soleil*]
9. En quoi les comètes diffèrent-elles des planètes ? [*elles ont une orbite plus allongée, elles ont une queue*]
10. Selon vous, pourquoi l'orbite de la comète est-elle si étrange ? [*réponses variables ; p. ex. : peut-être parce qu'elle se forme à l'extrémité la plus éloignée du système solaire*]

Activité logico-mathématique

Distribuez du papier quadrillé aux élèves. Dites-leur que l'exercice consiste à calculer et à dessiner des queues de comète de différentes tailles. Voici des exemples de problèmes à résoudre.

LA COMÈTE ET LE CALCUL

1. Dessine une petite comète. Dessine une queue d'une longueur de 5 cm.
2. Dessine une comète. Dessine une queue d'une longueur de 15 cm.
3. Dessine une comète. Dessine une queue d'une longueur de 25 cm.
4. Dessine une comète. Dessine une queue d'une longueur de 2 pouces.
5. Dessine une comète. Dessine une queue d'une longueur de 5 pouces.
6. Dessine une comète qui ne remplit qu'un seul carré sur ton papier quadrillé. Dessine une queue 5 fois plus longue que la comète.
7. Dessine une comète qui ne remplit qu'un seul carré sur ton papier quadrillé. Dessine une queue 10 fois plus longue que la comète.
8. Dessine une comète qui ne remplit qu'un seul carré sur ton papier quadrillé. Dessine une queue 22 fois plus longue que la comète.
9. Dessine une comète qui ne remplit qu'un seul carré sur ton papier quadrillé. Dessine une queue 50 fois plus longue que la comète.
10. Dessine une comète qui ne remplit qu'un seul carré sur ton papier quadrillé. Dessine une queue 100 fois plus longue que la comète.

Activité kinesthésique

Proposez aux élèves de construire leur propre comète à l'aide de guimauves, de pailles ou de bâtonnets, de ruban ou de ficelle (voir l'illustration). Ils pourront ensuite tenir leur comète dans leurs mains et simuler l'orbite d'une véritable comète en marchant dans la classe, autour du « Soleil » tout en prenant soin de pointer la queue de la comète dans le sens opposé au Soleil.

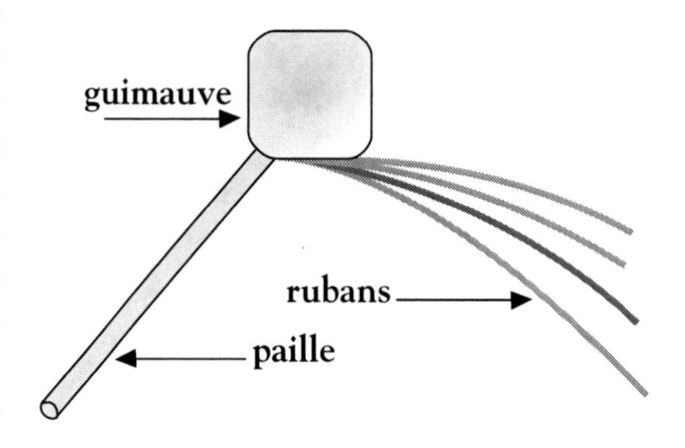

Activité visuo-spatiale

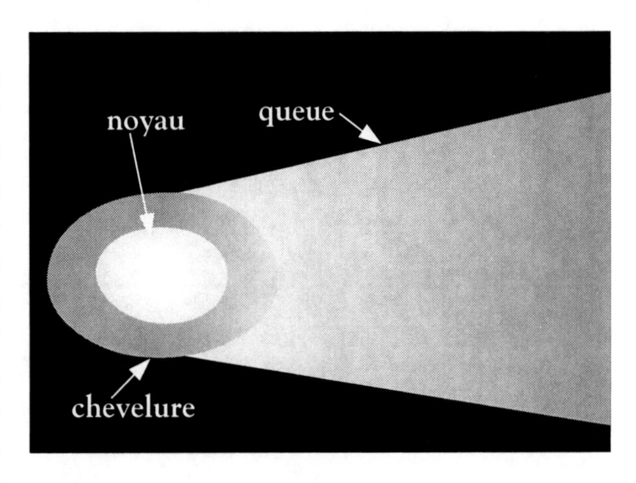

Les élèves peuvent s'inspirer de la comète pour créer une œuvre d'art. Donnez-leur comme consigne de faire une représentation visuelle d'une comète en indiquant clairement le nom du noyau, de la chevelure et de la queue de l'astre. Donnez-leur du papier de bricolage et du matériel d'art. Informez-les qu'ils peuvent dessiner, peindre, utiliser la colle et de la poudre scintillante, des points de couleur adhésifs, de la ficelle ou tout autre matériel d'art. L'illustration que voici est facilement réalisable avec de la colle blanche et de la poudre scintillante.

Activité musicale

Les élèves peuvent composer d'autres couplets à la chanson qui suit. La mélodie de la *Chanson de la comète* est celle de *C'est un beau roman, c'est une belle histoire* de Michel Fugain. Faites de petits groupes qui écriront ensemble des couplets de six lignes. Chaque groupe montre son texte à la classe et tous apprennent à le chanter.

Ils peuvent aussi y ajouter des instruments à percussion ordinaires ou improvisés : papier de verre, pots de fèves, bâtons et gros clous. Pour maintenir le bruit à un faible niveau, utilisez des instruments doux comme des sacs de fèves, de petits bâtons, de la mousse de polystyrène, des pots remplis de raisins secs ou de petites guimauves.

Chanson de la comète

C'est une comète
Qui file dans le ciel
Comme une planète
Fait le tour du soleil
Du soleil !

Une boule de gaz,
De glace et de poussières
Je vois tes cheveux
Dansant dans la lumière
La lumière !

Activité interpersonnelle

Divisez la classe en petits groupes. Chaque groupe fabrique un morceau d'un casse-tête éducatif qui a pour thème « Les comètes ». Distribuez un carton ou une feuille de papier de bricolage de 21,6 sur 27,9 cm ou plus par groupe. Chaque membre du groupe doit fabriquer au moins une pièce du casse-tête. Les élèves écrivent d'abord le mot « comète » au centre du carton. Ensuite, ils tracent des traits ondulés à partir du centre jusqu'au bord du carton, ce qui détermine les morceaux du jeu. Avant de couper les morceaux le long des traits, les élèves doivent colorier le dos du carton pour pouvoir distinguer visuellement l'endroit et l'envers du morceau. Ils découpent ensuite les morceaux et chacun écrit sur un morceau une information relative à la comète. Puis, à tour de rôle, les élèves construisent le casse-tête de leur groupe et celui des autres groupes. Pendant qu'ils sont à l'œuvre, invitez-les à prendre le temps de lire l'information contenue dans les casse-tête et d'y refléchir.

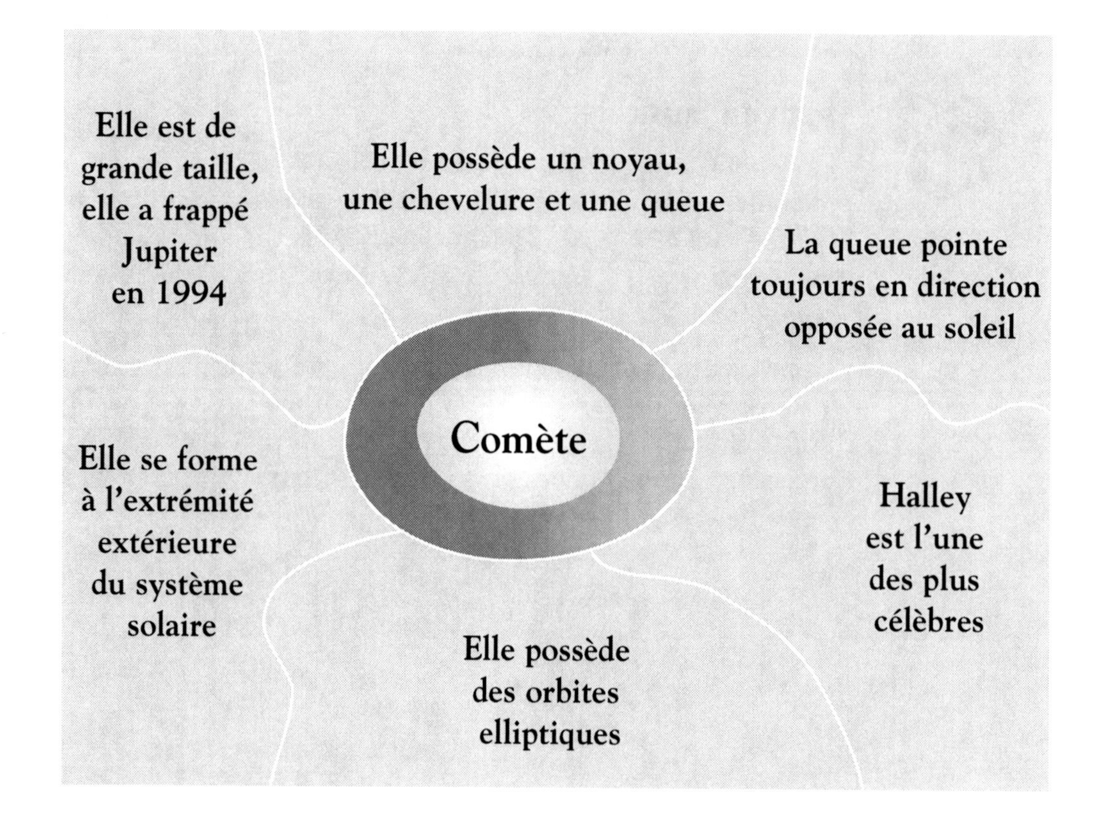

Activité intrapersonnelle

Les élèves peuvent choisir de travailler deux par deux ou individuellement et de répondre aux questions ouvertes qui suivent.

Nom de l'élève : ______________________________

Réflexions sur les comètes

1. Si tu devais entreprendre un long voyage dans l'espace pour explorer de lointaines comètes, qu'apporterais-tu avec toi ? Fais une liste en dix points.

2. Si ce voyage devait durer dix ans, que ressentirais-tu avant le départ ?

3. Avec qui partagerais-tu tes sentiments et de quelle manière ?

4. Durant ton voyage, quels sont les changements que tu pourrais vivre ?

5. L'orbite d'une comète est cyclique, ce qui signifie qu'elle revient à intervalles réguliers. Quels sont les aspects de ta vie qui reviennent à intervalles réguliers, comme tous les jours, toutes les semaines, tous les mois, toutes les années ou à des intervalles plus longs encore ?

6. Aimes-tu ces choses de la vie qui reviennent à intervalles réguliers ou préfères-tu les choses inattendues, qui surviennent spontanément ? Pourquoi ?

Évaluation

Offrez aux élèves la possibilité de choisir leur mode d'évaluation. Distribuez la liste suivante et laissez-les choisir l'évaluation qui les intéresse vraiment.

Choix d'évaluation

Écrivez un rapport d'une page ou deux sur les comètes. Utilisez au moins trois sources d'information. Le rapport doit comprendre une page de titre, une bibliographie et au moins un diagramme. Il doit être dactylographié ou écrit avec soin.

Composez une chanson sur les comètes. Elle doit contenir au moins cinq faits précis sur les comètes et une forme d'accompagnement musical. Vous pouvez utiliser une mélodie connue ou en composer une.

Faites une simulation d'entrevue avec un « expert » en comètes. Une personne joue le rôle de l'interviewer et une autre, celui du scientifique. L'entrevue doit comporter entre cinq et dix renseignements pertinents sur les comètes.

Construisez un diagramme ou une affiche sur les comètes. Ayez soin d'y inclure l'information sur la structure physique de la comète, son orbite et comment elle devient visible pour nous, les humains.

Choisissez l'une des options précédentes et travaillez en collaboration avec un ou une camarade. Si des élèves choisissent cette option, les deux devraient prendre la responsabilité de certaines parties du travail.

Choisissez votre méthode personnelle pour présenter vos connaissances acquises sur les comètes. Avant de commencer votre projet, assurez-vous d'obtenir l'approbation de votre enseignante ou enseignant.

Faites un examen écrit. Les questions proposées pour l'activité linguistique pourraient convenir.

Cours 14 – Jacques Cartier

Domaine :	Les sciences sociales
Idée de base :	La découverte, l'exploration
Principe à enseigner :	On peut vaincre la peur de l'inconnu en démontrant de la curiosité et de la persévérance
Module :	L'époque des grandes découvertes
Cours précédent :	Ferdinand Magellan
Cours subséquent :	John Cabot
Ordres d'enseignement :	De la 4e à la 5e primaire
Matériel requis :	Bouts de ficelle

Activité linguistique

Invitez les élèves à lire des textes décrivant les aventures de Jacques Cartier et à discuter ensuite des qualités qui l'ont amené à persévérer dans ses voyages. On trouve habituellement ces textes de lecture dans les livres de cours, mais aussi dans les encyclopédies, les ouvrages de référence ou les biographies.

Activité logico-mathématique

Les explorateurs doivent faire une foule de calculs mathématiques. Qu'on pense simplement à l'évaluation de la durée et de la distance. Les élèves peuvent créer des problèmes mathématiques se rapportant aux voyages de Cartier. Par exemple : Jacques Cartier quitte la France un 25 mars pour se rendre à l'embouchure du Saint-Laurent, un parcours de 3 987 kilomètres. S'il fait en moyenne 44 kilomètres par jour, quand arrivera-t-il à destination ?

Activité kinesthésique

Cartier a traversé l'Atlantique sur un ancien voilier qu'on appelle goélette. L'équipage a mis beaucoup de temps à gréer le navire et, par conséquent, à faire un nombre incalculable de nœuds. Amenez les élèves à apprendre à faire quelques nœuds de base : le nœud plat, le demi-clé à capeler, le nœud à filet, les deux demi-clés, le nœud de chaise.

Activité visuo-spatiale

Donnez aux élèves une carte du monde ou une carte de l'océan Atlantique. Demandez-leur de tracer les trajets effectués par Cartier lors de ses voyages de 1534, 1535 et 1541, de son point de départ en France jusqu'à son point d'arrivée au Canada, puis son trajet de retour. Pour chaque voyage, ils devront utiliser une couleur différente et marqueront les étapes et les lieux importants tout au long du trajet.

Activité musicale

Les marins trompaient leur ennui en chantant et même en dansant sur le navire. Les élèves apprennent des chansons de marins comme *Partons la mer est belle*, *La mer.*

Activité interpersonnelle

En rentrant de son dernier voyage, Cartier a fait la rencontre de Jean François de la Rocque, sieur de Roberval. Il s'agit d'un événement historique, car Roberval a ordonné à Cartier de retourner au Canada ; mais ce dernier a refusé, craignant l'hostilité des Iroquois. Invitez les élèves à reproduire cette scène dans un jeu de rôles ou une pièce de théâtre, en privilégiant un débat oratoire convaincant entre les deux protagonistes.

Activité intrapersonnelle

Cartier a tenu fidèlement son journal de bord, y relevant tous les événements de la journée, même ceux qui ne présentaient que peu d'intérêt. Demandez aux élèves de rédiger leur propre journal de bord ou encore, de créer un journal de bord fictif de Jacques Cartier.

Cours 15 – La Révolution française

Domaine :	Les sciences sociales
Idée de base :	La justice et les réformes
Principe à enseigner :	Les droits des petites gens
Module :	L'histoire de la France au 18e siècle
Cours précédent :	L'époque de la dictature
Cours subséquent :	Napoléon
Ordres d'enseignement :	De la 5e primaire à la 1ère secondaire

Matériel requis :	Matériel d'art

Activité linguistique

Les élèves s'imaginent vivant en France à la fin du XVIIIe siècle. Demandez-leur de rédiger une lettre convaincante au roi Louis XVI, lui expliquant pourquoi la monarchie devrait être remplacée par une république.

Activité logico-mathématique

Comme la Révolution française fut un mouvement spontané, elle s'est déroulée sans qu'on établisse au préalable un plan clair et rationnel. Demandez aux élèves de trouver une injustice ayant cours au sein de l'école ou de la communauté, puis d'établir une série d'étapes rationnelles pour apporter une réforme à cette injustice. Exemples de sujets : les mauvais traitements infligés aux animaux dans les refuges, l'heure du coucher des enfants, le manque de participation des élèves dans les prises de décisions, le financement des écoles.

Activité kinesthésique

Créez un jeu de cartes demandant de jumeler les noms et les événements marquants de la Révolution française. Les élèves jouent en petits groupes.

Activité visuo-spatiale

La Révolution française offre une multitude d'images que les élèves peuvent illustrer en se servant de diverses techniques comme l'aquarelle, le pastel, l'acrylique, les crayons-feutres. Par exemple : la prise de la Bastille, l'exécution de Louis XVI et de Marie-Antoinette, la mise à feu de la couronne et du trône du roi, les trois groupes hiérarchiques et leur différence vestimentaire, les massacres de septembre, la guillotine, une bannière proclamant *Liberté, égalité, fraternité*.

Activité musicale

C'est au temps de la Révolution française que Mozart a composé ses œuvres les plus célèbres. C'est le moment tout indiqué pour initier les élèves à l'œuvre de Mozart, soit par une écoute dirigée de sa musique ou encore, en la faisant jouer en sourdine pendant les activités. Il serait intéressant de voir, avec les élèves, si l'œuvre de Mozart reflète cette période tourmentée de l'histoire de l'Europe.

Activité interpersonnelle

Divisez la classe en trois groupes représentant les trois rangs hiérarchiques, soit le clergé, les nobles et les petites gens. Assurez-vous que les groupes sont proportionnels à la réalité d'alors. (Le clergé ne doit pas compter plus de deux élèves et la noblesse, pas plus de trois ; le reste de la classe représente la classe moyenne et les paysans.) Expliquez aux élèves que chaque groupe a un droit de vote équivalent lors des prises de décisions dans la classe. Invitez les groupes à débattre, dans un forum public, de leur droit à une « représentation équitable ».

Activité intrapersonnelle

Le moment est propice à l'écriture et à la réflexion sur les sujets entourant la Révolution française. Demandez aux élèves d'écrire ou de donner leur opinion sur la justice, l'égalité, la démocratie, l'égalité des droits, les droits des détenus, la peine de mort et sur le rôle joué par les gouvernements et les autorités.

Cours 16 – Jeanne d'Arc

Domaine :	**Les sciences sociales**
Idée de base :	**Liberté et convictions**
Principe à enseigner :	**Respecter ses convictions personnelles**
Module :	**Les héros et les héroïnes de France**
Cours précédent :	**Le roi Philippe IV**
Cours subséquent :	**Le roi Louis XI**
Ordres d'enseignement :	**De la 4e primaire à la 1ère secondaire**
Matériel requis :	**Texte sur la vie de Jeanne d'Arc ; matériel pour la confection de dioramas ; variété de pièces musicales**

Activité linguistique

Il existe une panoplie d'ouvrages relatant la vie de Jeanne d'Arc et ce, dans plusieurs langues. Les élèves pourront lire l'ouvrage intitulé *Jeanne d'Arc*, de Maurice Boutet de Monvel ou d'autres textes choisis, que les élèves pourront trouver à la bibliothèque.

Activité logico-mathématique

Demandez aux élèves de relever les événements marquants de la vie de Jeanne d'Arc. Comme la plupart des jeunes filles de son époque, elle n'a jamais appris à lire ni à écrire, mais sa mère lui a enseigné les choses sacrées. Dès son plus jeune âge, on remarquait sa gentillesse, sa générosité et sa spiritualité. Elle a commencé à avoir des visions alors qu'elle était enfant. Invitez les élèves à relever les événements marquants de leur propre vie et à les comparer à ceux de Jeanne d'Arc en imaginant comment elle vivait à leur âge. Ils pourront aussi tenter de prédire ce qu'ils feront à dix-sept ans ; à cet âge, Jeanne d'Arc quittait la maison pour prendre le commandement de l'armée française.

Activité kinesthésique

On trouve aujourd'hui des statues de Jeanne d'Arc dans plusieurs grandes villes à travers le monde. Les élèves créent un diorama ou une sculpture en terre glaise représentant Jeanne d'Arc ou l'un des principaux événements de sa vie, par exemple : Jeanne d'Arc en prière, menant ses soldats au champ de bataille, brûlée vive au bûcher, apparaissant devant le roi Charles VII, assistant au couronnement de Charles VII.

Activité visuo-spatiale

Les élèves créent un graphique décrivant de grands personnages de l'histoire de France et les qualités et vertus qui les caractérisent. On pourrait y retrouver les noms de Clovis, de Charlemagne, de Hugh Capet, de Henri IV, de Jeanne d'Arc, de Napoléon et d'autres encore. Ce graphique doit comporter une description des qualités uniques de chacun des personnages.

Activité musicale

La vie de Jeanne d'Arc est jalonnée d'une foule d'émotions, passant de l'émerveillement au triomphe jusqu'à la tragédie. Le groupe écoute des musiques de différentes époques (baroque, classique, romantique, moderne) afin de repérer des musiques exprimant l'émerveillement, le triomphe et la tragédie.

Demandez aux élèves d'exprimer leur accord ou leur désaccord sur le choix musical du groupe et de relever les pièces pouvant représenter les événements de la vie de Jeanne d'Arc.

Activité interpersonnelle

Une fois persuadée d'avoir cette mission à accomplir, Jeanne d'Arc a dû en convaincre les autres. Elle a fait face à de farouches opposants et a réussi à les gagner à sa cause. Voici une liste d'énoncés (ou composez ceux de votre choix) que vous écrirez sur des cartons. Invitez les élèves à choisir un de ces cartons et à défendre cet énoncé devant un petit groupe ou devant le grand groupe. (Il est possible que l'élève soit en désaccord avec l'énoncé choisi ; toutefois, la compréhension de divers points de vue fait souvent partie de l'intelligence interpersonnelle.)

- *Un jour je serai riche, mais je donnerai toute ma fortune à des œuvres de charité.*
- *Tout au long de ma vie les gens seront cruels à mon égard, mais je ferai toujours preuve de gentillesse à leur égard.*
- *J'ai un très gros chien qui détruit tous les meubles de la maison, mais je le traite toujours avec douceur et gentillesse.*
- *J'aurai bien des occasions de réussir dans le monde des affaires, mais j'ai l'intention de consacrer ma vie à aider les pauvres et les plus démunis de la société.*
- *Bien que je sois d'un tempérament plutôt tranquille, j'aspire à faire partie des plus hautes instances politiques.*

Activité intrapersonnelle

Jeanne d'Arc portait une attention toute particulière à ses rêves, à ses visions et à ses aspirations. Demandez aux élèves de tenir un journal de leurs rêves, de leurs visions éventuelles et de leurs aspirations et ce, pendant quelques jours ou même quelques semaines.

Planification de cours favorisant les intelligences multiples

Voici un formulaire destiné aux enseignants désireux de créer leurs propres cours fondés sur les intelligences multiples. Faites-en des photocopies. Certains y ont ajouté des éléments qui leur permettent de noter leurs idées. D'autres en font plusieurs copies, qu'ils rassemblent dans une reliure, et créent ainsi leur livre de planification de cours.

Titre du cours :

____

Résultats de l'élève : ______________________________

____

Activités :

linguistique : ______________________________

____

visuo-spatiale : ______________________________

____

musicale : ______________________________

____

logico-mathématique : ______________________________

____

kinesthésique : ______________________________

____

interpersonnelle : ______________________________

____

intrapersonnelle : ______________________________

____

évaluation : ______________________________

____

____

Matériel requis : ______________________________

____

Ordre des activités : ______________________________

____

Planifier l'apprentissage autogéré

Mon expérience d'enseignement favorisant les intelligences multiples m'a procuré bien des joies. Mais ma plus grande satisfaction a été d'observer mes élèves travaillant à leurs projets individuels, de les voir utiliser et développer leurs plus grands talents. Plusieurs enseignants font face à un dilemme lorsqu'ils décident d'intégrer dans leur classe la théorie de Gardner. Ils se demandent s'il vaut mieux privilégier l'approche des sept intelligences au quotidien ou nourrir les talents individuels de leurs élèves. J'ai choisi de faire les deux.

Dans ma classe, l'après-midi est surtout consacré aux projets des élèves. Certains choisissent d'approfondir la matière au programme. D'autres privilégient le sujet qui les intéresse le plus. Les choix qui reviennent le plus souvent nous indiquent la forme d'intelligence inhérente à l'élève. Les projets donnent l'occasion à l'élève d'apprendre à planifier, à gérer et à effectuer la tâche que l'élève lui-même s'est assignée. L'énoncé de mission des écoles souligne souvent l'importance de créer des élèves autonomes. Je suis heureux d'avoir trouvé des moyens concrets de nourrir l'apprentissage autogéré chez mes élèves. À cet égard, je vous offre quelques-unes de mes stratégies pédagogiques.

SIXIÈME PARTIE — CONTENU

Organisation des projets individuels

Au milieu des années 80, lorsque j'ai commencé à enseigner selon l'approche des intelligences multiples, je croyais que le principal élément de mon programme était les sept centres d'apprentissage. Les élèves étudiaient le contenu et manifestaient leurs talents sur une base quotidienne. Mais avec les années, j'en suis venu à penser que l'élément le plus important de mon programme est le projet individuel. Il permet à l'élève de mettre en pratique et d'approfondir les principes vus dans les centres d'apprentissage et les talents qu'il ou qu'elle s'est découverts. Quand l'élève apprécie son apprentissage actif et autogéré, il se donne encore davantage à son projet individuel. C'est par les projets que l'élève apprend à gérer son propre apprentissage.

Lorsqu'il organise son projet, l'élève définit son sujet, fait une recherche de quelques semaines, planifie et fait la démonstration des connaissances acquises. À la fin de chaque mois, je consacre quelques après-midi aux exposés des élèves. Il ne s'agit pas, pour eux, de lire l'information ni de présenter un exposé oral de mémoire. Les élèves partagent leurs acquis de diverses manières: pièces de théâtre, chansons, poèmes, histoires, danses, entrevues, jeux sociaux, cartes, affiches, diagrammes, graphiques, casse-tête, résolutions de problèmes, vidéos et activités interactives de groupe.

Les présentations sont éducatives et attirantes. Mais surtout, elles sont un puissant élément de motivation pour l'élève qui fait une recherche. Elle ou il acquiert non seulement une expertise dans un domaine de son choix, mais aussi des aptitudes en communication, tout en développant ses principaux talents. Après chaque présentation, le groupe complimente l'élève, puis critique sa recherche et son exposé. Ainsi, mes élèves apprennent à donner et à recevoir des critiques constructives.

Toutes les présentations de projets sont enregistrées sur vidéo. À la fin de l'année, je remets à chaque élève une cassette vidéo de toutes ses présentations. Ces cassettes témoignent du progrès graduel de l'élève et montre immanquablement une nette amélioration, surtout en ce qui concerne les stratégies de recherche, les connaissances liées au contenu et les aptitudes en communication.

J'encourage mes élèves à choisir eux-mêmes le sujet de leurs projets, mais il m'arrive parfois de participer à cette décision afin de les aider à faire un choix vraiment judicieux. Lorsque je participe activement à cette décision, je prends soin de leur donner plusieurs possibilités dans l'intention de les aider à apprendre à faire des choix. En outre, j'exige toujours que les élèves précisent la manière dont ils communiqueront leurs acquis, tant au groupe qu'à moi-même.

Lorsque les élèves ont arrêté le sujet de leur choix, ils remplissent le contrat présenté plus loin. Ce contrat les aide à organiser leur travail en leur demandant d'indiquer les diverses étapes à suivre pour réaliser leur projet.

L'autonomie ne vient pas toujours naturellement chez l'élève ; aussi les enseignants doivent-ils recourir à plusieurs stratégies pour l'aider à autogérer son apprentissage. En début d'année scolaire, j'informe mes élèves qu'ils apprendront à gérer des projets individuels. Je leur dis qu'il y a d'abord des exercices préparatoires à faire. Il s'agit 1) de trouver des sujets amusants, 2) de découvrir où et comment trouver l'information et 3) de choisir un mode de présentation des connaissances acquises. Nous discutons en grand groupe de ces trois étapes et nous faisons un exercice de remue-méninges pour évaluer toutes les possibilités. Par la suite, je distribue le texte de la page suivante et nous l'examinons en groupe.

Préparation à l'apprentissage autogéré

1. Trouver des sujets amusants

Il est important de demander aux élèves ce qu'ils désirent le plus apprendre. Si certains ne peuvent répondre sur le champ à cette question, la plupart font immédiatement des suggestions. Dans le passé, ils ont proposé des sujets comme les baleines, les ordinateurs, les molécules, les mystères, les femmes célèbres, la fabrication du papier, l'Empire romain, la production cinématographique, les paradoxes et le cerveau humain. Parfois l'enthousiasme de certains devient contagieux et encourage les autres à réfléchir à d'autres options. Mais certains élèves auront besoin d'aide pour choisir un sujet.

2. Découvrir où et comment trouver l'information

Bien que tous les sujets soient fascinants, je suggère d'opter pour celui dont la recherche sera facile. Nous discutons aussi des multiples façons d'avoir accès à l'information. Certains élèves font leur recherche dans des livres, écrivent à des organismes pour leur demander de la documentation imprimée, organisent des entrevues avec des adultes versés en la matière, invitent des conférenciers dans la classe, passent en revue les journaux, suivent des émissions à la télévision ou visionnent des films, utilisent des outils de télécommunication et des logiciels, font des observations et des expériences. Les élèves apprennent rapidement que la recherche peut être amusante.

3. Choisir un mode de présentation des connaissances acquises

Chaque élève a la responsabilité de transmettre à la classe les connaissances ainsi acquises. J'exige que les élèves donnent des présentations multimodales. Dans ces démonstrations d'apprentissage, on retrouve souvent des cartes, des vidéos, des pièces de théâtre, des chansons, des entrevues, des dessins, des danses, des slogans, des bannières, des modèles, des dioramas, des sculptures, des lettres, des statistiques, des courtepointes, des services à la communauté et des inventions.

Réalisation de projets en huit étapes

1. Fixe ton objectif.
   Je veux comprendre le fonctionnement de l'illusion d'optique.

2. Formule ton objectif sous forme de question.
   Qu'est-ce que l'illusion d'optique et comment déjoue-t-elle nos yeux?

3. Énumère au moins trois sources d'information que tu consulteras.
   Ouvrages de la bibliothèque sur l'illusion d'optique
   Opticiens ou professeurs d'université
   Documents des travaux de M.C. Escher
   Professeurs d'art

4. Décris les étapes à suivre pour atteindre ton objectif.
   Demander à la bibliothécaire ou au bibliothécaire de trouver les livres traitant de l'illusion d'optique.
   Lire ces livres.
   Consulter l'encyclopédie sous l'entrée « Illusion d'optique » et lire ce qu'on y dit.
   Discuter du sujet avec des professeurs d'art ou d'autres personnes.
   Regarder les travaux d'Escher.

5. Énumère au moins cinq concepts ou idées sur lesquels portera ta recherche.
   Qu'est-ce que l'illusion d'optique?
   Comment déjoue-t-elle la vision humaine?
   Comment fonctionne-t-elle?
   Quels sont les artistes qui en ont fait un art?
   Puis-je apprendre à jouer des tours d'illusion d'optique?

6. Énumère au moins trois méthodes que tu emploieras lors de la présentation de ton projet.
   Expliquer ce qu'est l'illusion d'optique.
   Faire un diagramme illustrant le fonctionnement de l'œil humain.
   Construire des affiches montrant des illusions d'optiques fameuses.
   Essayer de faire un tour d'illusion d'optique.
   Donner aux élèves un feuillet d'information sur l'illusion d'optique.
   Inviter la classe à essayer de créer des illusions d'optique.

7. Organise ton projet en faisant un échéancier.
   Semaine 1: *Lire l'information.*
   Semaine 1 : *Faire des entrevues avec des adultes.*
   Semaine 2 : *Observer diverses illusions d'optique.*
   Semaine 2 : *Essayer de faire mes propres illusions d'optique.*
   Semaine 2 : *Tracer le diagramme de l'œil.*
   Semaine 2 : *Préparer les documents pour la classe.*
   Semaine 3 : *Répéter ma présentation.*
   Semaine 3 : *Faire ma présentation devant la classe.*

8. Choisis le mode d'évaluation de ton projet.
   Répéter devant mes parents et recevoir leurs commentaires.
   Répéter devant Marie et Jean et recevoir leurs commentaires.
   Demander aux élèves de ma classe de commenter ma présentation et mes documents visuels.
   Remplir le formulaire d'autoévaluation.
   Prendre connaissance de l'évaluation de mon enseignante ou de mon enseignant.
   Analyser la cassette vidéo.

Après avoir discuté des huit étapes de la réalisation d'un projet, les élèves sont habituellement prêts à rédiger le contrat de leur projet. Ce contrat les aide à organiser leur apprentissage autogéré et m'informe de leurs intentions d'études. Je conserve ces contrats dans un dossier sur mon bureau. Comme ce document exige qu'on détermine immédiatement les questions et les ressources liées au projet, nous sommes déjà en mesure, après un jour ou deux, de savoir si ce projet est réalisable. Les élèves doivent parfois changer de sujet d'étude ; le cas échéant, ils rédigent un nouveau contrat. Quand les élèves ont dû abandonner un ou deux projets après un travail de recherche non concluant, ils sont vite convaincus de la pertinence de choisir des sujets dont la recherche sera facile. Vous trouverez à la page suivante le contrat que mes élèves utilisent au début de leurs projets.

Contrat d'apprentissage de l'élève

Nom de l'élève : ____________________ Sujet : ____________________

Question sur laquelle porte la recherche : ____________________

____

Énumère les étapes à suivre pour réaliser ce projet.

____

____

____

____

Énumère au moins trois sources d'information que tu consulteras.

____

____

____

____

Énumère au moins cinq concepts sur lesquels portera ta recherche.

____

____

____

____

____

____

Énumère au moins trois méthodes que tu emploieras lors de la présentation de ton projet.

____

____

____

____

Le projet sera terminé le :

____

Voici le formulaire d'évaluation que j'utilise pour les projets de mes élèves. Il se divise en trois parties :

1) l'évaluation écrite ;

2) l'inscription des commentaires positifs et des critiques de la classe ;

3) l'autoévaluation du projet par l'élève.

ÉVALUATION DU PROJET

Commentaires de l'enseignante ou de l'enseignant :

Recherche : ____________________

Information : ____________________

Organisation : ____________________

Présentation : ____________________

Autre : ____________________

Commentaires des élèves de la classe :

Autoévaluation : ____________________

Qu'as-tu appris sur ce sujet ? ____________________

Qu'as-tu appris sur la présentation ? ____________________

Quelle a été ta plus grande difficulté ? ____________________

Qu'est-ce que tu as le plus aimé ? ____________________

Tu aimerais en savoir davantage sur... ____________________

Devoirs basés sur les IM

Dans certains milieux, les parents et les élèves s'attendent à ce qu'on assigne régulièrement des devoirs à faire à la maison, et ce, même aux élèves du primaire. J'essaie toujours de rendre les devoirs intéressants et attrayants. Je voudrais que mes élèves désirent faire leurs devoirs ! J'ai découvert une façon unique d'assigner à mes élèves un devoir hebdomadaire favorisant les intelligences multiples. Chaque semaine, je leur donne un devoir favorisant une des sept formes d'intelligence ; le vendredi est jour de remise. Sept semaines plus tard, nous avons eu recours aux sept formes d'intelligence et nous reprenons le cycle. Il arrive parfois que le devoir s'intègre harmonieusement au contenu étudié en classe, tandis qu'à d'autres moments il est indépendant des thèmes à l'étude.

En fait, mes élèves sont impatients de recevoir leur devoir hebdomadaire. Pour certains, cette formule leur donne la chance de réussir leur devoir à l'occasion. Les élèves apprécient la variété des activités ; pour ma part, j'aime constater que l'apprentissage fait en classe gagne les foyers et la communauté. Certains parents m'ont confié n'avoir jamais vu leur enfant être aussi enthousiaste envers l'étude « après les heures d'école ».

Voici sept exemples de devoirs favorisant les intelligences multiples ; ils ont été conçus pour les élèves du secondaire, mais ils peuvent facilement s'adapter à tous les ordres d'enseignement. Le devoir peut être directement lié à la matière étudiée en classe, ou encore ne pas l'être. En effet, je peux enseigner aux élèves des habiletés d'apprentissage en leur donnant des devoirs ou leur demander de faire des activités qu'ils prendront plaisir à réaliser à l'extérieur de l'école.

Les exemples qui suivent s'adressent directement à l'élève ; ils peuvent être photocopiés et distribués, au besoin.

Devoir – approche linguistique

Pendant la semaine, trouve trois nouvelles traitant du même sujet ; ce peut être la guerre à travers le monde, une élection ou le sauvetage de personnes en détresse. Si tu n'as pas accès aux journaux, écoute les nouvelles à la télévision ou à la radio et note ce qu'on dit sur le sujet pendant trois jours. Compare et note les différences entre les nouvelles de chaque jour et vois comment les différentes sources d'information abordent le même sujet. À la fin de la semaine, tu pourras partager en petit groupe le sujet de ta recherche et les éléments que tu as pu noter au cours de la semaine.

Devoir – approche logico-mathématique

Cette semaine, tu pars à la chasse aux aubaines. Regarde les journaux, la publicité qui nous parvient par la poste, les catalogues, les livrets de coupons et les annonces à la télévision, à la radio, dans les magasins d'alimentation et autres commerces.

Trouve au moins vingt produits en solde. Fais-en une liste et note le prix courant et le prix en solde. Ensuite, écris le montant que tu pourrais épargner si tu achetais ces produits en solde. Note toutes ces informations sur un graphique de quatre colonnes. Au bas du graphique, indique le total des prix courants, le total des prix en solde et le total de la somme épargnée si tu achetais tous ces produits.

Si cela est possible, essaie de trouver des produits que ta famille consomme. De cette façon, tu aideras à réaliser des économies sur le plan du budget familial.

Pour plus de précision, calcule le taux de rabais obtenu sur chaque produit. Par exemple, si le prix courant est de 10 $ et que le prix de l'article en solde est de 5 $, le taux de rabais est de 50 %. À la fin de tous ces calculs, trouve le taux de rabais de toute la somme épargnée.

Devoir – approche kinesthésique

Imagine un pont qui serait à la fois fort et léger et construis-le avec des cure-dents et de la colle. Pendant la planification et la construction, assure-toi de bien distribuer le poids sur toute la structure. Le pont que tu construiras doit soutenir avec force l'endroit où s'exerce le poids. Utilise tous les cure-dents et toute la colle nécessaires. Le pont doit s'étendre sur au moins 18 cm, mais ne doit pas dépasser 24 cm de long. Sa largeur ne doit pas dépasser 10 cm.

Le pont doit avoir un tablier permettant à un camion-jouet de traverser de l'autre côté. Le camion mesure 4 cm de large et 5 cm de haut. Le tablier du pont peut se trouver à n'importe quelle hauteur.

Ton but est de construire le pont le plus solide qui soit. Vendredi, nous testerons sa solidité en classe. L'élève qui aura le pont le plus solide gagnera un prix.

Devoir – approche visuo-spatiale

Fabrique un jeu « *Les quatre coins* » sur lequel tu écris huit questions et réponses portant sur un sujet étudié à l'école.

- Prends une feuille de papier carrée d'environ 55 cm de côté.
- Plie la feuille d'abord en deux, puis en quatre carrés égaux.
- Déplie la feuille.
- Ramène les quatre coins au centre de la feuille. (Illustration 1)

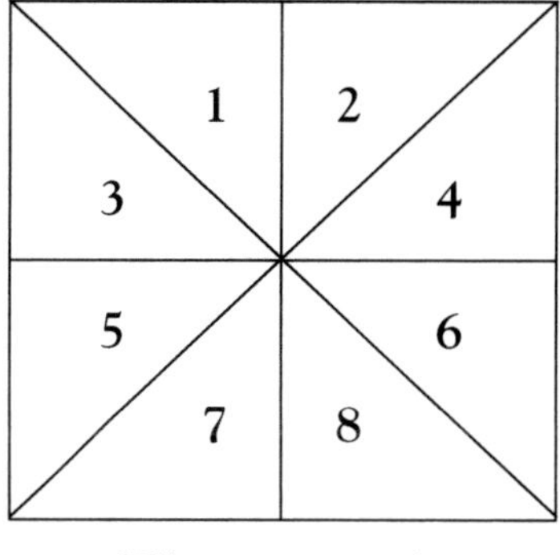

(Illustration 1)

- Tourne la feuille et ramène les quatre nouveaux coins au centre de la feuille.
- Plie la feuille en deux en joignant les triangles vers l'intérieur.
- Glisse tes deux pouces et tes deux index sous les quatre pochettes.
- Exerce-toi à manipuler ton jeu « Les quatre coins » pour qu'il s'ouvre et se referme. (Illustration 2)
- Maintenant, écris des questions ou des devinettes sur les huit faces internes des triangles.
- Sous chaque question, écris la réponse dans les triangles du centre.
- Sur les quatre carrés extérieurs, indique les quatre catégories par leur nom ou par une couleur.
- Décore ton jeu « Les quatre coins ».

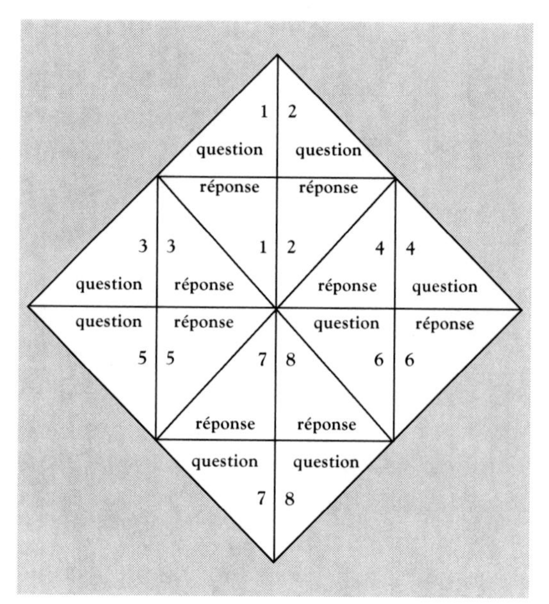

Illustration 2

Voici comment jouer. Demande à une ou à un camarade de choisir une couleur ou une catégorie qui apparaît à l'extérieur. Épelle le mot de cette catégorie en ouvrant ou fermant ton jeu « Les quatre coins » pour chaque lettre du mot (par exemple, b-l-e-u-, *B* j'ouvre, *L* je ferme, *E* j'ouvre, *U* je ferme).

Demande à ta ou à ton partenaire de choisir une autre catégorie ou un autre chiffre et recommence à épeler le mot ou à compter jusqu'au chiffre choisi en ouvrant et en fermant. Fais-lui choisir un troisième mot ou chiffre, ouvre la fenêtre correspondante et lit la question qui se trouve sur ce triangle.

Devoir – approche musicale

Invente un rythme avec tes mains et tes pieds pour l'enseigner à toute la classe. Tu peux combiner bien des choses : taper des mains, frapper du pied, tambouriner sur tes cuisses ou claquer des doigts. Tu peux aussi ajouter une courte phrase, des mots ou des sons.

Lorsque tu présenteras ton rythme devant la classe, tu nous enseigneras chaque partie et nous répéterons tes sons et tes gestes. Par exemple :

tap, tap, tap
écho
clap, clap, clap
écho
tap, tap, clap, clap, flip, flap, flop, Hey !
écho

Devoir – approche interpersonnelle

Cette semaine, ton devoir est de mener une mini-enquête. Tu dois faire une entrevue avec au moins dix personnes à qui tu poseras les questions suivantes ou celles de ton choix. Tu ne peux choisir des gens de ta classe ; au moins la moitié des personnes interrogées doivent être des adultes. Fais un graphique ou une carte pour illustrer les résultats de ton enquête.

Suggestions de questions à poser :

1. À quel âge les élèves peuvent-ils décider de l'heure d'aller au lit ? Pourquoi avez-vous choisi cet âge ?
2. Selon vous, l'année scolaire devrait-elle s'échelonner sur toute une année, mais comporter quatre ou cinq périodes d'arrêt ? Pourquoi ?
3. Selon vous, quelles sont les choses les plus importantes qu'un élève doive apprendre à l'école ?
4. Croyez-vous que les élèves doivent apprendre une deuxième langue à l'école ? Pourquoi ?
5. Lorsque vous aviez mon âge, que pensiez-vous de l'école ?
6. Selon vous, à quel âge un élève devrait-il avoir l'autorisation d'entrer sur le marché du travail ?

Si tu n'aimes pas ces questions, écris tes propres questions, mais assure-toi d'avoir la permission de ton enseignante ou de ton enseignant avant de commencer ta mini-enquête.

Après avoir obtenu tes réponses,

- fais une carte ou un graphique pour illustrer tes résultats ;
- écris deux conclusions ou généralisations que tu peux faire à partir de cette information.

Devoir – approche intrapersonnelle

Fais un collage sur « toi ». Au centre, fais un dessin ou colle une image qui te représente, puis ajoute tout autour des choses qui te caractérisent. Utilise des images découpées dans les journaux et les revues, des dessins, des icônes, des mots, des poèmes, des étiquettes d'emballage. Illustre les aliments, les lieux, les sports, les animaux, les activités et les personnes que tu aimes.

Tu peux trouver des choses intéressantes dans la section cinéma des journaux, dans les bandes dessinées et les grands titres. Si tu n'as pas de vieux journaux ni de revues, vérifie auprès de tes voisins qui en ont peut-être ou prends ce qu'il te faut dans les bacs de recyclage de papier. Parfois, les bibliothèques jettent des revues.

Si tu utilises des photos ou des revues, demande au propriétaire la permission de les découper et de les coller avant de le faire. Si tu décides de coller un objet tridimensionnel, assure-toi de ne pas l'endommager en utilisant la colle. Si tu tiens à ce que personne ne voie ton collage, demande à tes parents de m'écrire une note confirmant que tu fais ce collage. Si tu désires le partager, nous l'installerons dans la classe vendredi et nous consacrerons du temps pour le regarder tous ensemble avec toi.

Enseigner les matières au programme selon l'approche à IM

Cette dernière partie du guide regorge d'idées pour créer des modules thématiques en lien avec le curriculum. Vous n'y trouverez pas de cours complets utilisant les intelligences multiples. J'ai plutôt opté pour des sujets plus englobants et pouvant s'échelonner sur plusieurs semaines ou plusieurs mois. Chaque année, je couvre systématiquement entre six et huit modules dans ma classe. J'y incorpore les disciplines secondaires et les principaux objectifs du programme scolaire. Je propose des échéanciers pour les modules, mais ils sont facultatifs. Faites les ajustements nécessaires pour adapter ces suggestions aux besoins de votre classe.

Comment ai-je choisi ces thèmes ? Je profite de l'été pour trouver un ou deux nouveaux thèmes et je les planifie pour l'année qui vient. À la rentrée des classes, je demande à mes élèves ce qu'ils désirent vraiment étudier et, ensemble, nous déterminons leurs champs d'intérêt. Je prends en considération le contenu et l'échéancier du programme scolaire, de même que les modules que j'ai expérimentés par le passé. C'est à partir de toutes ces données que surgissent les six ou huit modules qui auront préséance au cours de l'année. Parfois, lorsque je suis exceptionnellement bien organisé, je crée un dossier de planification d'un module dans le but de l'avoir sous la main, au besoin, ou de le partager avec mes collègues. Je mets dans une petite boîte les plans de cours et le matériel nécessaire. Ces « ensembles » thématiques sont faciles à ranger et à partager.

SEPTIÈME PARTIE — CONTENU

Suggestions de thèmes

Il est parfois utile d'avoir sous la main une liste provisoire de thèmes. J'aime les identifier par un seul mot; je vérifie dans quelle mesure ce mot peut s'étendre à des concepts plus complexes et comporter des possibilités diverses et je vois s'il peut s'ajouter à la liste provisoire des thèmes. Parfois, je choisis un mot clé et je pose une question qui deviendra le moteur d'un module au programme. Par exemple, la liste qui suit inclut le thème des inventions technologiques. Je pourrais transformer ces mots clés en une question comme: « De quelle façon la technologie a-t-elle aidé la race humaine et lui a-t-elle nui à la fois? »

Une fois le sujet trouvé, l'étape suivante consiste à dresser les grandes lignes de ce module provisoire, puis de le diviser en plans de cours utilisant les intelligences multiples. Dans les pages qui suivent, vous pourrez suivre ce processus d'élaboration sous le thème « Les découvertes ».

Liste de suggestions de thèmes

Découvertes et explorations…

…sur terre

…en avion

…spatiales

…au microscope

…subatomiques

…possibles dans le futur

…personnelles

Inventions…

…architecturales

…mécaniques

…électriques

…technologiques

…industrielles

…artistiques

…médicales

…sociales

…personnelles

Défis…

…scientifiques

…artistiques

…dans les relations interpersonnelles

…personnels

Changements…

…sur la terre

…dans la nature

…dans le climat

…dans les cultures

…dans le corps

…dans les familles

…dans nos groupes d'amis

…personnels

Interdépendance…

…dans la nature

…dans les communautés

…entre les gens

…entre les pays

Démocratie…

…dans l'histoire

…dans notre pays

…dans les autres pays

…à l'école

GRANDES LIGNES OU ARBRE CONCEPTUEL D'UN MODULE

Une fois le thème précisé, je fais une liste des sous-thèmes qui pourraient éventuellement faire partie du module au programme. Je tiens compte également des principales aptitudes que mes élèves pourraient développer grâce à ce module.

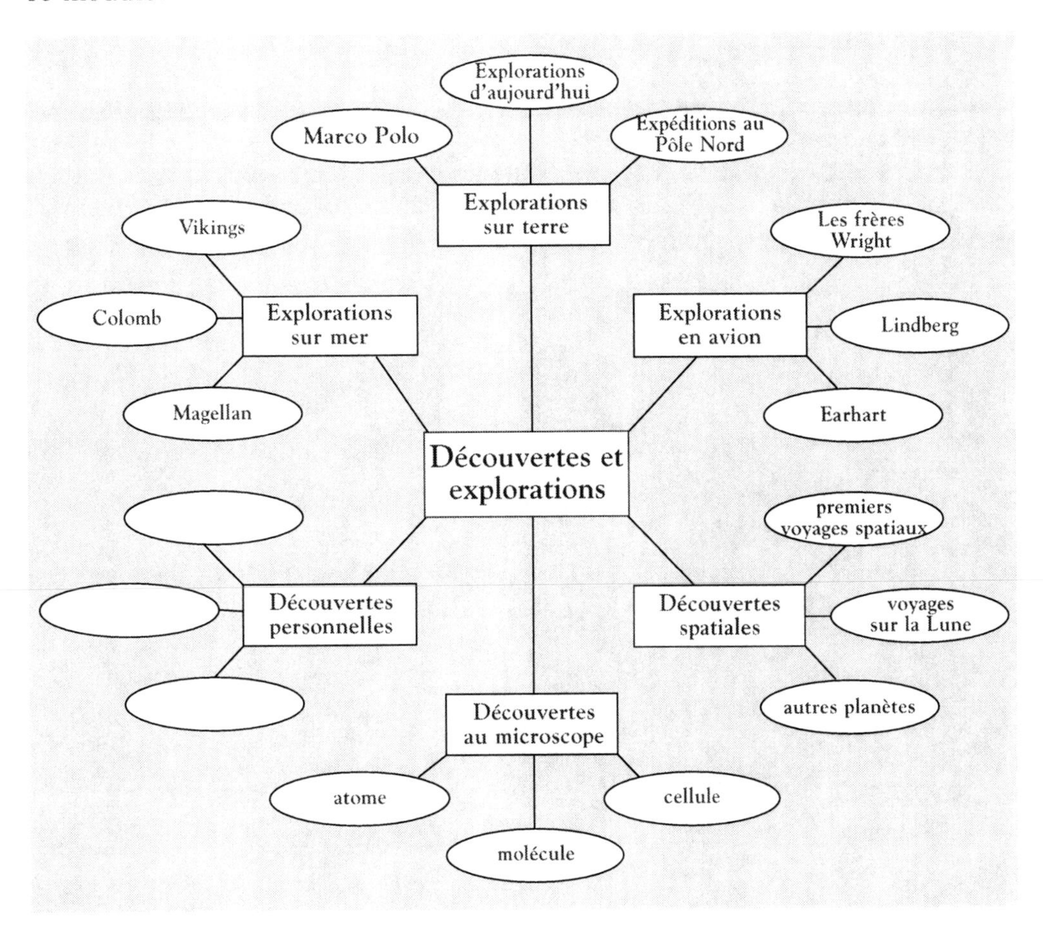

Habiletés d'apprentissage à développer dans le module « Les découvertes » :

- apprendre à donner et à recevoir des commentaires entre élèves
- apprendre à comparer, à différencier et à analyser
- apprendre à faire de la recherche historique
- apprendre à réfléchir sur soi

Module thématique « Les découvertes » — Suggestions de cours à IM

Voyages d'exploration sur mer et découvertes

Les Vikings

Activité linguistique :	Trouver et lire au moins trois sources d'information sur les Vikings.
Activité logico-mathématique :	Calculer la distance qu'ils ont parcourue.
Activité kinesthésique :	Construire des modèles de leurs navires.
Activité visuo-spatiale :	Illustrer sur une carte le trajet parcouru par les Vikings.
Activité musicale :	Composer une chanson rythmée pour accompagner les marins.
Activité interpersonnelle :	Imaginer une hiérarchie de commandements sur un navire de Vikings.
Activité intrapersonnelle :	Désigner le rôle qu'on aimerait assumer sur un navire.

Colomb

Activité linguistique :	Lire les différentes opinions sur Colomb et en discuter.
Activité logico-mathématique :	Calculer un problème de distance : taux × temps.
Activité kinesthésique :	Simuler son arrivée dans les Bahamas (théâtre).
Activité visuo-spatiale :	Créer une carte géographique de son voyage.
Activité musicale :	Comparer la musique du XVe et du XVIe siècle.
Activité interpersonnelle :	Faire des plans pour une cohabitation culturelle harmonieuse.
Activité intrapersonnelle :	Préciser comment nous devons traiter les Arawaks et pourquoi nous devons agir ainsi.

Magellan

Activité linguistique :	Écrire un discours au roi ou à la reine lui demandant l'octroi de navires pour effectuer un long voyage.
Activité logico-mathématique :	Calculer la quantité de nourriture et d'eau nécessaire au voyage
Activité kinesthésique :	Grimper sur des câbles (pour régler les voiles).
Activité visuo-spatiale :	Dessiner les vêtements, les navires et autres objets de cette époque.
Activité musicale :	Apprendre des chansons de marins.
Activité interpersonnelle :	Simuler le retour du navire en Espagne (théâtre).
Activité intrapersonnelle :	Tenir le journal de bord du capitaine.

Voyages d'exploration sur terre et découvertes

Marco Polo

Activité linguistique :	Lire et comparer des récits de voyages historiques.
Activité logico-mathématique :	Calculer les kilomètres parcourus par jour, par semaine, par mois et par année.
Activité kinesthésique :	Créer un jeu de société portant sur son voyage.
Activité visuo-spatiale :	Dessiner le site d'un pays qu'il a visité.
Activité musicale :	Comparer la musique chinoise et la musique italienne de l'époque.
Activité interpersonnelle :	En petits groupes, noter les différences entre les cultures italienne et chinoise de l'époque.
Activité intrapersonnelle :	Simuler un extrait du carnet de voyage de Marco Polo.

Explorations d'aujourd'hui

Activité linguistique :	Lire le roman **Expédition Caribou** de B. Simard.
Activité logico-mathématique :	Diviser la pièce, distribuer les rôles et les tâches.
Activité kinesthésique :	Fabriquer le décor de la pièce.
Activité visuo-spatiale :	Créer les costumes de la pièce.
Activité musicale :	Fabriquer des tambours simples pour créer une musique d'accompagnement pour la pièce.
Activité interpersonnelle :	Présenter une nouvelle simulation du voyage dans le Pacifique.
Activité intrapersonnelle :	Réfléchir au rôle qu'on a tenu dans la pièce.

Expéditions au Pôle Nord

Activité linguistique :	Lire des textes choisis décrivant les expéditions polaires et relever les principales connaissances acquises lors de ces voyages.
Activité logico-mathématique :	Décrire les études scientifiques faites au cours de ses voyages.
Activité kinesthésique :	Créer une carte contour d'un pôle.
Activité visuo-spatiale :	Dessiner les aspects géographiques de l'un ou l'autre des deux pôles.
Activité musicale :	Écrire le texte d'une chanson décrivant une expédition polaire.
Activité interpersonnelle :	S'enseigner mutuellement les connaissances acquises lors des expéditions de Voyer.
Activité intrapersonnelle :	Décrire sa réaction si l'on devait vivre en solitaire dans une région polaire.

Explorations en avion et découvertes

Les frères Wright

Activité linguistique : Faire une recherche sur la vie des frères Wright.
Activité logico-mathématique : Calculer à l'échelle les mesures de leurs avions ; les comparer avec celles des autres.
Activité kinesthésique : Construire des modèles réduits d'avions avec des bâtonnets.
Activité visuo-spatiale : Dessiner une réplique de leurs avions.
Activité musicale : Composer une chanson sur la vie des frères Wright.
Activité interpersonnelle : Simuler des entrevues avec les frères Wright.
Activité intrapersonnelle : Dire si l'on aimerait être le pionnier ou la pionnière d'une invention technologique semblable.

Charles Lindberg

Activité linguistique : Préparer un court exposé sur son vol historique et sur d'autres aspects de sa vie.
Activité logico-mathématique : Comparer le temps et la distance avec ceux des autres explorateurs.
Activité kinesthésique : Lindberg a contribué à l'invention de nouveaux avions, missiles, satellites et cœurs artificiels. Créer une simulation d'invention dans le domaine de la technologie.
Activité visuo-spatiale : Observer et dessiner une vue aérienne de l'école ou du quartier.
Activité musicale : Faire un collage musical représentant divers événements dans la vie de Lindberg.
Activité interpersonnelle : Discuter de divers événements qui se sont déroulés dans la vie de Lindberg et de leur incidence sur la vie des autres. Par exemple, l'enlèvement de Lindberg et la loi, son rôle à titre de « Good Will Ambassador », la création de cartes aériennes avec son épouse Anne Morrow.
Activité intrapersonnelle : Rédiger un texte ayant pour sujet : « Ce que je ferais si j'étais seule ou seul pendant 34 heures. »

Amelia Earhart

Activité linguistique : Lire l'ouvrage de Earhart et citer les passages favoris.
Activité logico-mathématique : Comparer ses plans à ceux de Magellan.
Activité kinesthésique : Créer une série d'exercices à faire si l'on doit demeurer assis dans la même position pendant une longue période.
Activité visuo-spatiale : Travailler avec des logiciels de simulation de vol aérien.
Activité musicale : Composer une chanson sur ses exploits, puis sur sa disparition.
Activité interpersonnelle : Décrire les qualités qui en ont fait une pionnière.
Activité intrapersonnelle : Expliquer de façon personnelle pourquoi elle est source d'inspiration.

Les découvertes spatiales

Les premiers voyages dans l'espace

Activité linguistique :	Faire une recherche et enseigner aux autres les connaissances acquises sur les premiers voyages dans l'espace.
Activité logico-mathématique :	Comparer la taille des vaisseaux spatiaux et des avions.
Activité kinesthésique :	Construire une réplique de vaisseau spatial avec de la glaise ou de la pâte à modeler.
Activité visuo-spatiale :	Faire une carte illustrant tous les voyages spatiaux.
Activité musicale :	Choisir une musique pour un voyage dans l'espace.
Activité interpersonnelle :	Énumérer les contributions de divers pays aux premiers voyages dans l'espace.
Activité intrapersonnelle :	Faire une liste de dix choses à emporter avec soi dans l'espace et expliquer ces choix.

Les premiers pas sur la Lune

Activité linguistique :	Créer un texte annonçant aux nouvelles télévisées les premiers pas des humains sur la Lune. Y inclure le discours d'Armstrong.
Activité logico-mathématique :	Calculer la vitesse, la distance de l'orbite lunaire.
Activité kinesthésique :	Imiter la marche sur la Lune, où il y a peu de gravité.
Activité visuo-spatiale :	Faire un diagramme d'une fusée de lancement, d'un engin spatial, d'un module lunaire de débarquement.
Activité musicale :	Créer une musique de fond pour la nouvelle télévisée annonçant le premier débarquement sur la Lune.
Activité interpersonnelle :	Planifier des activités pour deux ou trois personnes sur un petit avion.
Activité intrapersonnelle :	Énumérer ses aptitudes personnelles pour un long voyage dans l'espace.

Les découvertes au-delà du système solaire

Activité linguistique :	Faire une liste des plus récentes découvertes dans l'espace.
Activité logico-mathématique :	Créer des analogies relatives aux grands espaces.
Activité kinesthésique :	Danser ou créer avec son corps la forme des galaxies.
Activité visuo-spatiale :	Faire à l'ordinateur des graphiques portant sur les découvertes spatiales.
Activité musicale :	Simuler des sons de l'espace (p. ex., big bang).
Activité interpersonnelle :	Étudier les trous de vers et les trous noirs, en petits groupes.
Activité intrapersonnelle :	Écrire sur l'espace intérieur et extérieur.

Les découvertes au microscope

La cellule

Activité linguistique :	Lire *Le livre de l'aventure humaine* de Jean Hamburger et discuter de sa précision scientifique.
Activité logico-mathématique :	Calculer le ratio dans la séparation des cellules.
Activité kinesthésique :	Étudier les cellules au microscope.
Activité visuo-spatiale :	Visionner un film ou un vidéo sur la vie microscopique.
Activité musicale :	Noter la musique ou les effets sonores utilisés dans le film ou le vidéo pour appuyer l'information.
Activité interpersonnelle :	Mener des groupes d'études sur diverses découvertes portant sur les cellules.
Activité intrapersonnelle :	Visualiser mentalement la séparation des cellules dans notre corps.

La molécule

Activité linguistique :	Lire des fiches d'information sur la découverte des molécules.
Activité logico-mathématique :	Extrapoler le ratio des atomes dans la molécule.
Activité kinesthésique :	Visiter un musée scientifique traitant des molécules et de leur découverte.
Activité visuo-spatiale :	Étudier et dessiner la structure de l'ADN en double hélice.
Activité musicale :	Improviser sur une musique rappelant la structure moléculaire.
Activité interpersonnelle :	Comparer les liens entre les molécules et les liens entre les humains.
Activité intrapersonnelle :	Chaque élève étudie les molécules d'un élément.

L'atome

Activité linguistique :	Distribuer de la documentation sur les découvertes atomiques.
Activité logico-mathématique :	Étudier la classification périodique des éléments.
Activité kinesthésique :	Avec des balles, créer des modèles d'atomes.
Activité visuo-spatiale :	Faire un diagramme de parties d'atome.
Activité musicale :	Composer une chanson sur les diverses parties de l'atome.
Activité interpersonnelle :	Inviter un scientifique du quartier comme conférencier.
Activité intrapersonnelle :	Choisir et étudier l'élément que l'on préfère et expliquer en quoi il nous ressemble.

Les découvertes personnelles

Activité linguistique :	Écrire sur une découverte personnelle.
Activité logico-mathématique :	Se faire un échéancier de découvertes personnelles.
Activité kinesthésique :	Créer une pièce ou une danse représentant une découverte personnelle.
Activité visuo-spatiale :	Représenter ses découvertes personnelles par un collage.
Activité musicale :	Trouver et partager des chansons qui parlent de découvertes personnelles.
Activité interpersonnelle :	Partager en petits groupes ses découvertes personnelles.
Activité intrapersonnelle :	Se fixer des objectifs personnels pour ses prochaines découvertes.

Si vous désirez enseigner le module « Les découvertes » ou tout autre module, je vous invite à consulter la planification des cours vue précédemment afin d'établir l'ordre des cours, le plan détaillé et le matériel requis.

Planification annuelle des modules thématiques

Lorsqu'ils suivent mes ateliers, les enseignants me demandent souvent quels sont les modules que je préfère et ceux que mes élèves apprécient le plus. J'ai donc ajouté ici les grandes lignes des trois modules que je préfère : « Des quarks aux quasars », « Les arts dans le monde » et « Notre planète Terre ». Bien que l'échéancier que je vous propose s'échelonne sur toute une année, il est en fait très souple. Ces modules ont été adaptés à des horaires variables, tant au primaire qu'au secondaire. Ils peuvent certainement tous convenir au niveau collégial, il suffit de les adapter en conséquence.

Exemple de planification du module thématique « Des quarks aux quasars »

Ce module comporte trois sections : le microcosme, l'univers humain et le macrocosme. Les disciplines courantes s'y intègrent : langue, mathémathique, sciences, sciences sociales, santé, arts, éducation physique et musique. L'ordre séquentiel peut être inversé : du macrocosme au microcosme.

Septembre : Le microcosme – de 2 à 3 semaines

Discipline : Sciences

- Particules subatomiques (2 ou 3 jours)
  Quarks, leptons, mésons, etc.
- Atomes (1 semaine)
  Éléments, classification périodique
- Molécules (1 semaine)
  Composantes, masse moléculaire
- Cellules (1 semaine)
  Cellules végétales et animales, séparation des cellules

Octobre-avril : L'univers humain – de 5 à 7 mois

Disciplines : Santé, sciences sociales, langue

- Le corps humain (2 semaines)
  Le cerveau, les systèmes
- L'histoire de l'humanité (2 mois)
  De la préhistoire aux temps modernes
- Les réalisations des humains (2 mois)
  Les découvertes, les inventions, les créations
- Les cultures humaines (2 mois)
  Les cultures à travers le monde
- La géographie de la Terre (2 ou 3 semaines)
  Les continents, les montagnes, les fleuves, etc.

Mai-juin : Le macrocosme – de 4 à 6 semaines

Disciplines : Sciences, sciences sociales, langue

- Le système solaire (1 semaine)
  Les planètes, les astéroïdes, les météorites, etc.
- La galaxie de la Voie lactée (1 semaine)
  Les étoiles et les constellations
- L'univers (1 semaine)
  Les galaxies, les trous noirs, les quasars
- Anticipation (1 semaine)
  Les cybernétiques, la technologie, de quoi demain sera-t-il fait ?

Exemple de planification du module thématique « Les arts dans le monde »

Ce module met l'accent sur les sciences sociales et les arts, mais il comporte également des activités dans le domaine du langage, des maths, des sciences et de la musique. L'ordre séquentiel est arbitraire ; on peut aussi choisir l'ordre géographique ou l'ordre historique. Dans l'exemple qui suit, les deux sont combinés.

L'art ancien (septembre)

Peintures rupestres, sculptures anciennes

Suggestion d'activité : imiter la peinture rupestre sur du papier d'emballage.

L'art des premières civilisations (octobre)

Sumérie, Égypte, Chine, Inde

Suggestion d'activité : construire des pyramides ou des ziggourats.

L'art grec et romain (novembre)

Sculpture, architecture, design

Suggestion d'activité : faire de la sculpture en terre glaise.

L'art africain (décembre)

Afrique de l'Ouest, de l'Est, du Sud et centrale

Suggestion d'activité : fabriquer une pièce artistique avec des objets recyclés, à la manière africaine. (Voir **Ingénieuse Afrique** dans les ouvrages de référence.)

L'art asiatique (janvier)

Chine, Japon, Asie du Sud-Est, Inde

Suggestion d'activité : fabriquer du papier et des estampes.

L'art européen (février)

Renaissance, impressionnisme

Suggestion d'activité : peindre à l'acrylique, à l'aquarelle.

L'art de l'Amérique centrale et de l'Amérique du Sud (mars)

Mexique, Guatemala, Pérou, Bolivie, Brésil

Suggestion d'activité : peindre avec du sable, art textile.

L'art de l'Amérique du Nord (avril)

Art amérindien, art et artisanat coloniaux, art occidental

Suggestion d'activité : fabriquer des jouets, p. ex., des chapeaux.

L'art moderne et contemporain (mai)

Art abstrait, expressionnisme, nouvelles tendances

Suggestion d'activité : faire des collages, des montages avec des grains, du verre, des sculptures.

Exemple de planification du module thématique « Notre planète Terre »

Ce module interdisciplinaire est une réflexion sur des défis locaux et mondiaux. L'ordre séquentiel n'a pas d'importance et il n'est pas nécessaire d'enseigner toutes les parties de ce module. Sentez-vous libre de choisir des sujets à la pièce et qui vous semblent particulièrement pertinents pour votre classe. L'ordre est le fruit du hasard ; cependant, les enseignants qui ont mis en œuvre les modules dans cet ordre ont observé que les activités sont interdépendantes et s'entrecroisent.

Du 15 septembre au 31 octobre :

Nos cieux tourmentés

Pollution de l'air, réchauffement de la planète, couche d'ozone

Du 1er novembre au 15 décembre :

Nos océans en crise

Pollution de l'eau, pêche à la baleine, érosion du sol et eaux de ruissellement

Janvier :

Les forêts tropicales humides

Déforestation, appauvrissement du sol, extinction

Février :

Les espèces menacées

Animaux et plantes en voie d'extinction

Mars :

La crise énergétique

Problèmes de production, sources d'énergie de substitution

Avril :

La guerre, un champ de bataille mondial

Conflits humains à travers le monde

Mai :

Notre monde divisé

Surpopulation, pauvreté et faim

Chaque sujet étudié doit comporter une conclusion sous forme de résolution de problèmes afin de permettre aux élèves de suggérer des solutions, et peut-être même de les mettre en œuvre. Il arrive souvent qu'une série de services communautaires voient le jour à la suite de l'étude.

Voici pour ce module une excellente source d'information, mais en anglais seulement : une série de manuels pédagogiques intitulée « Our Only Earth » distribuée en anglais seulement par Zephyr Press, Tucson, Arizona, États-Unis.

Souvent, les enseignants désirent un élément visuel pour les guider dans l'élaboration et le suivi de leur planification de cours. En voici deux. Le premier énumère les activités favorisant les intelligences multiples et le second donne les principaux domaines conceptuels visés par le programme. Vous pouvez agrandir ces documents afin d'avoir l'espace voulu pour y incorporer le plus d'informations possible.

Vue d'ensemble de la planification thématique

Thème : ______________________ Module : ____________

Ordre d'enseignement : ____________ Échéancier : ____________

Sujets ou questions clés :

Résultats attendus	Activités linguistiques	Activités logico-mathématiques	Activités kinesthésiques	Activités visuo-spatiales	Activités musicales	Activités inter-personnelles	Activités intra-personnelles	Matériel
Activités d'évaluation								
Activités déterminantes								

FORMULAIRE DE PLANIFICATION THÉMATIQUE

Thème : ______________________________

Séquence des modules :
1. ______________________________
2. ______________________________
3. ______________________________
4. ______________________________

Module 1 – Sujets secondaires :

1. ______________________ }
2. ______________________ } Cours
3. ______________________ }

Évaluation du module 1 : ______________________

Module 2 – Sujets secondaires :

1. ______________________ }
2. ______________________ } Cours
3. ______________________ }

Évaluation du module 2 : ______________________

Module 3 – Sujets secondaires :

1. ______________________ }
2. ______________________ } Cours
3. ______________________ }

Évaluation du module 3 : ______________________

Module 4 – Sujets secondaires :

1. ______________________ }
2. ______________________ } Cours
3. ______________________ }

Évaluation du module 4 : ______________________

Évaluation générale : ______________________________

EN CONCLUSION

J'ai rédigé ce guide dans l'intention de partager avec vous les diverses formules que j'ai pu mettre au point dans mon effort d'intégrer à mon enseignement la théorie des intelligences multiples. Mais je crois que tous les enseignants doivent trouver les méthodes qui leur conviennent le mieux, à eux, à leurs élèves et à leur communauté.

Après avoir mis cette théorie en pratique pendant des années, j'aimerais partager avec vous quelques réflexions. J'ai choisi, tout au long de ma carrière, d'ajouter à mon horaire des heures de planification et de créer de nouveaux modes d'évaluation. Pourquoi ? Parce que la réaction de mes élèves m'y encourageait et parce que je réussissais dans ma vie professionnelle. J'aimerais faire état des résultats concrets qui m'ont incité à continuer dans cette voie.

Quelques résultats obtenus en mettant en pratique ce programme

J'ai mené des recherches dans ma classe en vue de vérifier les effets de ce programme sur mes élèves. Pour ce faire, j'ai tenu un journal quotidien sur les thèmes suivants :

- réflexions quotidiennes
- évaluation quotidienne de l'attention ou de la participaton des élèves
- évaluation des transitions entre les sept centres
- explication de tout problème disciplinaire
- autoévaluation – mon emploi du temps comme enseignant
- suivi d'élèves particuliers, définis comme ayant de sérieux problèmes de comportement

En outre, j'ai fait des sondages auprès de mes élèves durant l'année. J'ai distribué des questionnaires sur *l'ambiance qui prévaut dans la classe* (12 fois), *l'évaluation individuelle des centres d'apprentissage à intelligences multiples* (9 fois) et *l'évaluation des centres d'apprentissage par les groupes d'élèves* (8 fois).

Ce que révèlent les données recueillies

1. Les élèves acquièrent un plus grand sens des responsabilités, d'autogestion et d'autonomie, et ce, tout au cours de l'année. Je n'ai pas cherché à comparer mes élèves à ceux des autres classes, mais j'ai noté que les centaines de personnes qui ont visité ma classe ont toutes été frappées par la motivation et l'autonomie dont ils faisaient preuve. Mes élèves ont acquis diverses habiletés, comme celles de planifier leurs projets, de rassembler le matériel nécessaire et de faire des exposés de qualité.

2. Les problèmes disciplinaires ont nettement diminué. Les élèves qui présentaient déjà de sérieux problèmes de comportement se sont rapidement découvert des habiletés sociales ; ces changements étaient notables, surtout dans les six premières semaines de l'année scolaire. Quelques mois plus tard, ils occupaient souvent une place appréciable au sein du groupe, grâce à leur contribution. En fin d'année, ils jouaient parfois un rôle de leader dans les centres d'apprentissage.

3. Tous les élèves manifestent et exercent de nouveaux talents. À l'automne, la plupart des élèves déclarent avoir un centre d'apprentissage favori. (Fait intéressant, la répartition entre les différents centres est relativement égale.) Au milieu de l'année scolaire, ils accordent leur préférence à trois ou quatre centres. En fin d'année, la majorité des élèves déclarent préférer au moins six centres. De plus, tous présentent leurs projets individuels par des exposés multidisciplinaires composés de chansons, de poèmes, de pièces de théâtre, d'illustrations, de jeux, de recherches, de casse-tête et d'activités de groupe, toutes des habiletés acquises dans les sept centres d'apprentissage.

4. Tous les élèves intègrent les qualités de l'apprentissage coopératif. Comme la plupart des centres fonctionnent en mode coopératif, les élèves deviennent très habiles pour pratiquer l'écoute, l'entraide, le partage du leadership dans différentes activités, les passages d'un groupe à l'autre et l'accueil des nouveaux élèves dans la classe. Ils apprennent à respecter les autres, mais aussi à apprécier et à rechercher les talents uniques en chacun et chacune.

5. Leurs résultats scolaires se sont améliorés et nous en avons la confirmation à la fois dans les évaluations de la classe et dans les examens normalisés. Leurs notes sont égales ou au-dessus de la moyenne locale, régionale et nationale, et ce, dans toutes les matières. Les examens de fin d'année révèlent une grande capacité de mémorisation. La méthode utilisée pour mémoriser l'information préconise surtout la musique, les documents visuels et la kinesthésie, ce qui prouve l'importance de travailler de concert avec différentes formes d'intelligence. J'ai vu des élèves qui n'avaient jamais réussi à l'école devenir très compétents dans des domaines qu'ils ne connaissaient pas.

En résumé, il est évident que les habiletés des élèves s'améliorent. Plusieurs d'entre eux déclarent que, pour la première fois, ils aiment l'école. Plus l'année avance, plus les nouveaux talents surgissent. Certains se découvrent des talents pour la musique, les arts, l'écriture ou les mathématiques. D'autres apprennent qu'ils ont des qualités de leader. Qui plus est, on note une nette amélioration de la confiance et de la motivation. Enfin, les élèves démontrent un plus grand sens des responsabilités, une plus grande confiance en eux et une autonomie accrue en participant activement à leurs propres expériences d'apprentissage.

Le rôle des enseignants dans un programme axé sur les intelligences multiples

Ce programme centré sur l'élève a souvent des conséquences intéressantes, par exemple sur le rôle de l'enseignante ou de l'enseignant. Tandis que la plupart des élèves s'activent dans les centres ou à leurs projets, je peux me consacrer à une personne ou à un petit groupe. J'aide les élèves à acquérir de nouveaux talents ; j'agis comme tuteur auprès des élèves qui éprouvent des difficultés en lecture ou en mathématiques, j'aide des élèves doués à relever de nouveaux défis ; je travaille avec de petits groupes à la construction d'une structure, à la création d'une danse ou à la planification d'un projet. De plus, je fais souvent des rencontres individuelles pour évaluer le travail, suggérer des moyens possibles pour arriver à l'amélioration désirée, offrir des commentaires positifs. Mon rôle s'est donc modifié en celui de soutien, de guide et de personne-ressource. J'entretiens avec mes élèves des relations plus personnelles et je suis récompensé par leurs réalisations individuelles.

Mon rôle a changé et j'ai acquis de nouvelles compétences en enseignant dans cet environnement. J'ai appris à regarder mes élèves en tenant compte de différents aspects. J'ai plus de facilité à utiliser diverses méthodes pédagogiques ; je peux rapidement rassembler le matériel nécessaire, lors de l'organisation des centres d'apprentissage et des projets d'élèves. J'ai pris conscience que je travaille avec mes élèves et non pour eux ; j'explore ce qu'ils explorent, je découvre ce qu'ils découvrent, et souvent j'apprends ce qu'ils apprennent. Je puise ma satisfaction dans leur enthousiasme et leur indépendance plutôt que dans leurs notes et leur capacité de demeurer sagement assis. Mais le plus important peut-être, c'est qu'en planifiant toutes ces approches pédagogiques je suis devenu plus créatif et polyvalent dans ma façon de penser et d'apprendre. Je me demande parfois qui donc change le plus, les élèves ou moi ?

En quoi l'approche des intelligences multiples est-elle une formule gagnante ?

Cette formule est non seulement gagnante dans ma classe, mais aussi dans des centaines d'écoles à travers les États-Unis. Deux raisons semblent justifier ce succès. D'abord, chaque élève a la chance d'apprendre et d'exceller dans au moins une des formes de l'intelligence humaine, mais cette réussite touche souvent trois ou quatre formes d'intelligence. Depuis que j'ai entrepris ce programme, tous mes élèves ont réussi en favorisant une de ces approches. Tous sans exception. Car chaque élève étudie la matière au programme grâce à sept approches différentes, qui sont autant d'occasions de la comprendre et de la mémoriser. Enfin, l'élève jouant un rôle actif devient maître d'œuvre de son apprentissage et sa démarche prend alors tout son sens.

Ce programme répond à plusieurs besoins chez l'élève. Les défis à relever dans les activités quotidiennes répondent à ses aspirations intellectuelles. L'élève comble ses besoins émotifs en travaillant étroitement avec ses camarades à l'occasion, et en travaillant de façon autonome à d'autres moments. Pour tout dire, je crois que les élèves qui ont la chance de vivre dans un environnement faisant appel à leurs multiples intelligences manifestent de nouvelles habiletés, se comprennent et s'estiment davantage. Lorsqu'ils quittent l'école, ils sont mieux outillés pour découvrir leurs intérêts et s'y consacrer. Le but que je poursuis depuis toujours, en tant qu'éducateur, est d'éveiller le plaisir d'apprendre dans chacun et chacune de mes élèves.

Ouvrages de référence cités dans les activités suggérées

CINQUIÈME PARTIE

Cours 5 Christophe Colomb (p. 80)

Film *1492 - Christophe Colomb*
France — Espagne — Grande-Bretagne, 1992, 162 min

Cours 6 Les baleines (p. 84)

Film *La grenouille et la baleine*, réalisation de Jean-Claude Lord, Montréal : Éditions La Fête, Conte pour tous, 1985.

Roman JULIEN, Viviane
La grenouille et la baleine (tiré du film)
Montréal : Québec-Amérique, 1988, 182 p.

Livre SIFAOUI, Brigitte
Le livre des dauphins et des baleines
France : Albin Michel, 1996, 240 p.

(Plus de 1000 contacts et idées pour les rencontrer, les protéger et communiquer avec eux.)

Chant des baleines — Bande sonore du film — *La grenouille et la baleine*

Cours 8 L'histoire de Ping (p. 91)

FLACK, Marjorie et Kurt Wiese
Ping, le petit canard chinois
Paris: L'École des loisirs, Coll. Lutin poche, 1981, 36 p.

Cours 9 Les animaux de la ferme de George Orwell (p. 95)

ORWELL, George
Les animaux de la ferme
Paris: Gallimard, 1994, 272p.

Cours 12 *Pi*, le rapport entre le diamètre et la circonférence (p. 107)

Rondes:

1. GEOFFROY, Luc
   Vire-vole : carnet de rondes, éd. par les Services étudiants, Montréal : J.E.C., 1946, 56 p.

2. *Les souliers lilas de mon âne : rondes et chansons du temps qui passe*, Paris : Éditions de l'amitié
Rageot : Diffusion Hatier, 1980, 58 p.

3. *Vieilles chansons pour les petits enfants*, Paris : L'École des loisirs, 1981, 47 p.

SEPTIÈME PARTIE

Explorations d'aujourd'hui (p. 154)

SIMARD, Benjamin, *Expédition Caribou*, Waterloo : Éditions Michel Quintin.

La cellule (p. 154)

HAMBURGER, Jean, *Le livre de l'aventure humaine*, Paris : Gallimard, coll. Découverte cadet, 1990, 101 p.

L'art africain (p. 150)

GENDREAU, Andrée, *Ingénieuse Afrique : artisans de la récupération et du recyclage*, Montréal : Fides ; Québec : Musée de la civilisation, 1994, 95 p.

Chenelière/Didactique

A APPRENTISSAGE

Apprendre et enseigner autrement
P. Brazeau, L. Langevin
- Guide d'animation
- Vidéo n° 1 Déclencheur
- Vidéo n° 2 Un service-école pour jeunes à risque d'abandon scolaire
- Vidéo n° 3 Le parrainage académique
- Vidéo n° 4 Le monitorat d'enseignement
- Vidéo n° 5 La solidarité académique

Au pays des gitans
Un répertoire d'outils pour développer la gestion cognitive de l'attention, de la mémoire et de la planificationl
Martine Leclerc

Être attentif... une question de gestion !
Un répertoire d'outils pour développer la gestion cognitive de l'attention, de la mémoire et de la planification
Pierre-Paul Gagné, Danielle Noreau, Line Ainsley

Être prof, moi j'aime ça !
Les saisons d'une démarche de croissance pédagogique
L. Arpin, L. Capra

Intégrer les matières de la 7e à la 9e année
Ouvrage collectif

La gestion mentale
Au cœur de l'apprentissage
Danielle Bertrand-Poirier,
Claire Côté, Francesca Gianesin, Lucille Paquette Chayer
- Compréhension de lecture
- Grammaire
- Mémorisation
- Résolution de problèmes

L'apprentissage à vie
La pratique de l'éducation des adultes et de l'andragogie
Louise Marchand

L'apprentissage par projets
Lucie Arpin, Louise Capra

Le cerveau et l'apprentissage
Mieux comprendre le fonctionnement du cerveau pour mieux enseigner
Eric Jensen

Les intelligences multiples
Guide pratique
Bruce Campbell

Les intelligences multiples dans votre classe
Thomas Armstrong

Les secrets de l'apprentissage
Robert Lyons

Par quatre chemins
L'intégration des matières au cœur des apprentissages
Martine Leclerc

Pour apprendre à mieux penser
Trucs et astuces pour aider les élèves à gérer leur processus d'apprentissage
Pierre-Paul Gagné

Stratégies pour apprendre et enseigner autrement
Pierre Brazeau

Vivre la pédagogie du projet collectif
Collectif Morissette-Pérusset

Ec ÉDUCATION À LA COOPÉRATION

Ajouter aux compétences
Enseigner, coopérer et apprendre au postsecondaire
Jim Howden, Marguerite Kopiec

Apprendre la démocratie
Guide de sensibilisation et de formation selon l'apprentissage coopératif
C. Évangéliste-Perron, M. Sabourin, C. Sinagra

Apprenons ensemble
L'apprentissage coopératif en groupes restreints
Judy Clarke et coll.

Découvrir la coopération
Activités d'apprentissage coopératif pour les enfants de 3 à 8 ans
B. Chambers et coll.

Je coopère, je m'amuse
100 jeux coopératifs à découvrir
Christine Fortin

La coopération au fil des jours
Des outils pour apprendre à coopérer
Jim Howden, Huguette Martin

La coopération en classe
Guide pratique appliqué à l'enseignement quotidien
Denise Gaudet et coll.

L'apprentissage coopératif
Théories, méthodes, activités
Philip C. Abrami et coll.

Le travail de groupe
Stratégies d'enseignement pour la classe hétérogène
Elizabeth G. Cohen

Structurer le succès
Un calendrier d'implantation de la coopération
Jim Howden, Marguerite Kopiec

E ÉVALUATION ET COMPÉTENCES

Comment construire des compétences en classe
Des outils pour la réforme
Steve Bisonnette, Mario Richard

Construire la réussite
L'évaluation comme outil d'intervention
R. J. Cornfield et coll.

Le plan de rééducation individualisé (PRI)
Une approche prometteuse pour prévenir le redoublement
Jacinthe Leblanc

Le portfolio au service de l'apprentissage et de l'évaluation
Roger Farr, Bruce Tone
Adaptation française : Pierrette Jalbert

Portfolios et dossiers d'apprentissage
Georgette Goupil
- VIDÉOCASSETTE

Profil d'évaluation
Une analyse pour personnaliser votre pratique
Louise M. Bélair
- GUIDE DU FORMATEUR

G GESTION DE CLASSE

À la maternelle... voir GRAND !
Louise Sarrasin, Marie-Christine Poisson

Apprendre... c'est un beau jeu
L'éducation des jeunes enfants dans un centre préscolaire
M. Baulu-MacWillie, R. Samson

Construire une classe axée sur l'enfant
S. Schwartz, M. Pollishuke

Je danse mon enfance
Guide d'activités d'expression corporelle et de jeux en mouvement
Marie Roy

La classe interculturelle
Guide d'activités et de sensibilisation
Cindy Bailey

La multiclasse
Outils, stratégies et pratiques pour la classe multiâge et multiprogramme
Colleen Politano, Anne Davies
Adaptation française : Monique Le Pailleur

Le conseil de coopération
Un outil pédagogique pour l'organisation de la vie de classe et la gestion des conflits
Danielle Jasmin

L'enfant-vedette (vidéocassette)
Alan Taylor, Louise Sarrasin

Quand les enfants s'en mêlent
Ateliers et scénarios pour une meilleure motivation
Lisette Ouellet

Quand revient septembre...
Jacqueline Caron
- GUIDE SUR LA GESTION DE CLASSE PARTICIPATIVE (VOLUME 1)
- RECUEIL D'OUTILS ORGANISATIONNELS (VOLUME 2)

L LANGUE ET COMMUNICATION

À livres ouverts
Activités de lecture pour les élèves du primaire
Debbie Sturgeon

Attention, j'écoute
Jean Gilliam DeGaetano

Conscience phonologique
Marilyn J. Adams, Barbara R. Foorman, Ingvar Lundberg, Terri Beeler

École et habitudes de lecture
Étude sur les perceptions d'élèves québécois de 9 à 12 ans
Flore Gervais

Histoire de lire
La littérature jeunesse dans l'enseignement quotidien
Danièle Courchesne

L'apprenti lecteur
Activités de conscience phonologique
Brigitte Stanké

Le français en projets
Activités d'écriture et de communication orale
Line Massé, Nicole Rozon, Gérald Séguin

Le théâtre dans ma classe, c'est possible !
Lise Gascon

Lire et écrire à la maison
Programme de littératie familiale favorisant l'apprentissage de la lecture
Lise Saint-Laurent, Jocelyne Giasson, Michèle Drolet

Plaisir d'apprendre
Louise Dore, Nathalie Michaud

Une phrase à la fois
Brigitte Stanké, Odile Tardieu

P PARTENARIAT ET LEADERSHIP

Cinq stratégies gagnantes pour l'enseignement des sciences et de la technologie
Laurier Busque

De l'énergie, j'en mange !
Alimentation à l'adolescence : information et activités
Carole Lamirande

Éducation technologique de la 1re à la 9e année
Daniel Hupé

La classe verte
101 activités pratiques sur l'environnement
Adrienne Mason

La pensée critique en mathématiques
Guide d'activités
Anita Harnadek

Les mathématiques selon les normes du NCTM, 9e à 12e année
- Analyse de données et statistiques
- Géométrie sous tous les angles
- Intégrer les mathématiques
- Un programme qui compte pour tous

Question d'expérience
Activités de résolution de problèmes en sciences et en technologie
David Rowlands

Sciences en ville
J. Bérubé, D. Gaudreau

Supersciences
Susan V. Bosak
- À la découverte des sciences
- L'environnement
- Le règne animal
- Les applications de la science
- Les astres
- Les plantes
- Les roches
- Le temps
- L'être humain
- Matière et énergie

Un tremplin vers la technologie
Stratégies et activités multidisciplinaires
Ouvrage collectif

La classe branchée
Enseigner à l'ère des technologies
Judith H. Sandholtz et coll.

T Technologies de l'information et des communications

La classe multimédia
A. Heide, D. Henderson

L'ordinateur branché à l'école
Du préscolaire au 2e cycle
Marie-France Laberge, Louise Dore, Nathalie Michaud

L'ordinateur branché à l'école
Scénarios d'apprentissage
Marie-France Laberge

Points de vue sur le multimédia interactif en éducation
Entretiens avec 13 spécialistes européens et nord-américains
Claire Meunier

5800, rue Saint-Denis, bureau 900
Montréal (Québec) H2S 3L5 Canada
Téléphone : 514 273-1066
Télécopieur : 514 276-0324 ou 1 800 814-0324
info@cheneliere.ca